ハンドメイドベビー服 enanna(エナンナ)の
80〜90センチサイズの
かわいいお洋服

愛らしい可愛らしさいっぱいの
よちよち歩きの頃の子ども服

ネットショップ enanna 代表
朝井牧子 著

はじめに

ねんねやおすわりの赤ちゃんから、たっちをしてよちよち歩き出すころ。
お洋服もロンパースを着ていたのが
ワンピースやチュニックを着られるようになって。
そうすると幅が広がって、
もっといろいろな服を着せてあげたくなりませんか？

私も娘が歩きだしたころに娘の服を作りはじめました。

たくさんの失敗もありましたが、
でき上がったときの喜びと達成感。
ハンドメイドがこんなに楽しいなんて、驚きでした。
たぶんそれは娘のために作る特別な服だから…。

この本のお洋服は、
少しだけ背伸びをした大人っぽさのあるデザインが多いのですが、
小さな子が着ると愛らしいかわいらしさも感じられるように
仕上がっていると思います。

お気に入りの布を使って、
お子様のための特別な一着を作ってあげてください。

朝井牧子

もくじ

はじめに……………………………………………………p.2

楽しいソーイング

基本的な道具………………………………………………p.24

ミシン糸とミシン針………………………………………p.25

布の幅・布の名称・布の必要量の目安・布の水通しと地直し……p.25

型紙を作る…………………………………………………p.26

布を裁つ……………………………………………………p.26

ソーイングの基本…………………………………………p.27

a. バルーンパンツ…………………………………………p.6 (p.28)
b. プルオーバーシャツ……………………………………p.6 (p.32)
c. タックパンツ……………………………………………p.7 (p.34)
d. フリル袖チュニック……………………………………p.8 (p.36)
e. ショートパンツ…………………………………………p.8 (p.38)
f. ドルマンブラウス………………………………………p.10 (p.40)
g. サロペット………………………………………………p.10 (p.42)
h. スモックワンピース……………………………………p.12 (p.44)
i. ゆったりパンツ…………………………………………p.13 (p.46)
j. ギャザーワンピース……………………………………p.14 (p.48)
k. 衿つきゆったりワンピース……………………………p.15 (p.50)

l. キュロットスカート……………………… p.16 (p.52)

m. タッセルつきストール…………………… p.16 (p.62)

n. ラウンドカラーシャツ…………………… p.18 (p.54)

o. ベスト……………………………………… p.18 (p.56)

p. ピアネスタイ……………………………… p.19 (p.63)

q. フードつきニットワンピ………………… p.20 (p.58)

r. サルエルパンツ…………………………… p.21 (p.60)

a. バルーンパンツ

ふんわりとしたバルーンシルエットがとてもかわいらしい印象です。
スカートのような雰囲気のパンツなので元気な女の子にぴったり。
How to make … p.28
実物大型紙 … A面

b. プルオーバーシャツ

白のシンプルなシャツは1枚あるだけで
コーディネートの幅が広がります。
ゆったりめの身幅でカジュアルダウンな着こなしに。
P.6でも着ています。

How to make … p.32
実物大型紙 … A面
布地：fabric bird

c. タックパンツ

大人っぽいシルエットのタックパンツ。
無地でも柄で作っても素敵に仕上がります。
裾をロールアップしてもかわいい。

How to make … p.34
実物大型紙 … A面
布地：サンヒット

d. フリル袖チュニック

フリルのような袖、それにヨークで切り替えて
ギャザーをたっぷり寄せたデザインは
女の子ならではの愛らしい雰囲気。
後ろボタン開きなのでバックスタイルも素敵。
How to make … p.36
実物大型紙 … A面
布地：サンヒット

e. ショートパンツ

かぼちゃパンツのような
ぷっくりシルエットがかわいいです。
ダブルに折り返した裾がポイントに。
How to make … p.38
実物大型紙 … A面
布地：fabric bird

f. ドルマンブラウス

ナチュラルな雰囲気で
大人っぽいデザインのブラウスですが、
小さな女の子が着てもかわいらしくなります。
後ろリボンがアクセントに。

How to make … p.40
実物大型紙 … A面
布地：スワニー

g. サロペット

前から見るとサロペット、
後ろから見たらパンツというデザイン。
合わせるトップスの裾はインでもアウトでも。
ひもの調節が可能なのでお着替えも簡単です。

How to make … p.42
実物大型紙 … A面
布地：サンヒット

h. スモックワンピース

ゆったりとしたシルエットのスモックワンピース。
選ぶ生地によってお出かけ着にもカジュアルにも。

How to make … p.44
実物大型紙 … A面
布地：サンヒット

i. ゆったりパンツ

ゆったりとしたシルエットの裾を太幅のゴムで絞ったデザイン。
黒のラインがきいたチェック柄は男の子におすすめ。
左はプルオーバーシャツ。p.6〜7で着ています。

How to make … p.46
実物大型紙 … B面
布地：fabric bird

j. ギャザーワンピース

ギャザーたっぷりの女の子らしいワンピース。
着丈を少し長めにしているので
着ると上品な印象に。

How to make … p.48
実物大型紙 … B面
布地：スワニー

k. 衿つきゆったりワンピース

シンプルなワンピースも丸い衿がつくだけで
とても女の子らしい印象になります。
脇下がりのシルエットがポイント。

How to make … p.50
実物大型紙 … B面
布地：fabric bird

l. キュロットスカート

生地幅をたっぷり使って作るキュロットスカート。
フレアがたくさん入るので、
動くたびにふんわり揺れてかわいいです。
P.10～11のドルマンブラウスを着ています。
How to make … p.52
実物大型紙 … B面
布地：fabric bird

m. タッセルつきストール

シンプルなお洋服とのコーディネートに。
手作りのタッセルは意外と簡単に作れます。
刺しゅう糸の色の組み合わせを楽しんでみて。
How to make … p.62

n. ラウンドカラーシャツ

スタンダードなシャツは
衿のかたちをラウンドさせて
やわらかい印象にしました。
男の子だけでなく女の子にもおすすめです。

How to make … p.54
実物大型紙 … B面
布地：fabric bird

o. ベスト

メンズライクなショート丈のベスト。
シャツやカットソーの上に合わせるだけで
とてもおしゃれになります。
裏地もお気に入りの生地を選んでみて。
パンツはP.8〜9のショートパンツ。

How to make … p.56
実物大型紙 … B面
布地：fabric bird

p. ピアネスタイ

シャツにタイを合わせるだけで
おしゃれ上級者に。
ひもの長さが調節可能なので
成長に合わせて使えます。

How to make … p.63
布地：サンヒット

q. フードつきニットワンピ

カジュアルな印象のフードつきワンピース。
ジャカード織りのニットで作ってみても素敵な仕上がりに。
How to make … p.58
実物大型紙 … B面

r. サルエルパンツ

おしりまわりはゆったりと。ラインは細めですっきり。
男の子でも女の子でも着られるデザインです。

How to make … p.60
実物大型紙 … B 面

[80㎝、90㎝サイズのお洋服]
※この本の作品は下記のサイズをもとにしたものです。
　身長80㎝、90㎝のお洋服が作れます。
　お子さんのサイズをはかって型紙を選んでください。
　ワンピースの着丈やスカート丈などはお子さんに合わせて調節してください。
※口絵モデルのお子さんは身長90㎝で90㎝サイズを着用しています。

[材料と裁ち方図について]
※How to make頁の「材料」では80㎝、90㎝の場合の材料を記載しました。
　指定のない1つの数字は両サイズに共通です。
※裁ち方図や作り方図内に並んでいる2つの数字は、80㎝の場合、90㎝の場合の順です。
※共布で作るバイアス布の長さは各サイズによって異なります。
　型紙から衿ぐりや袖ぐりなど使用する場所の寸法をはかって、必要な長さを出してください。
※布を裁つときは裁ち方図を参考に配置してください。
　裁ち方はサイズの違いによって配置が異なる場合があります。
　この本では90㎝サイズで裁ち方図を作成しています。

[参考サイズ]
80……1歳くらい。身長80㎝、体重10～12kg
90……2歳くらい。身長90㎝、体重12～14kg

How to make

よちよち歩きだすころになると
着られるお洋服の幅がぐんと広がります。
お洋服作りが楽しくなりますね。

楽しいソーイング

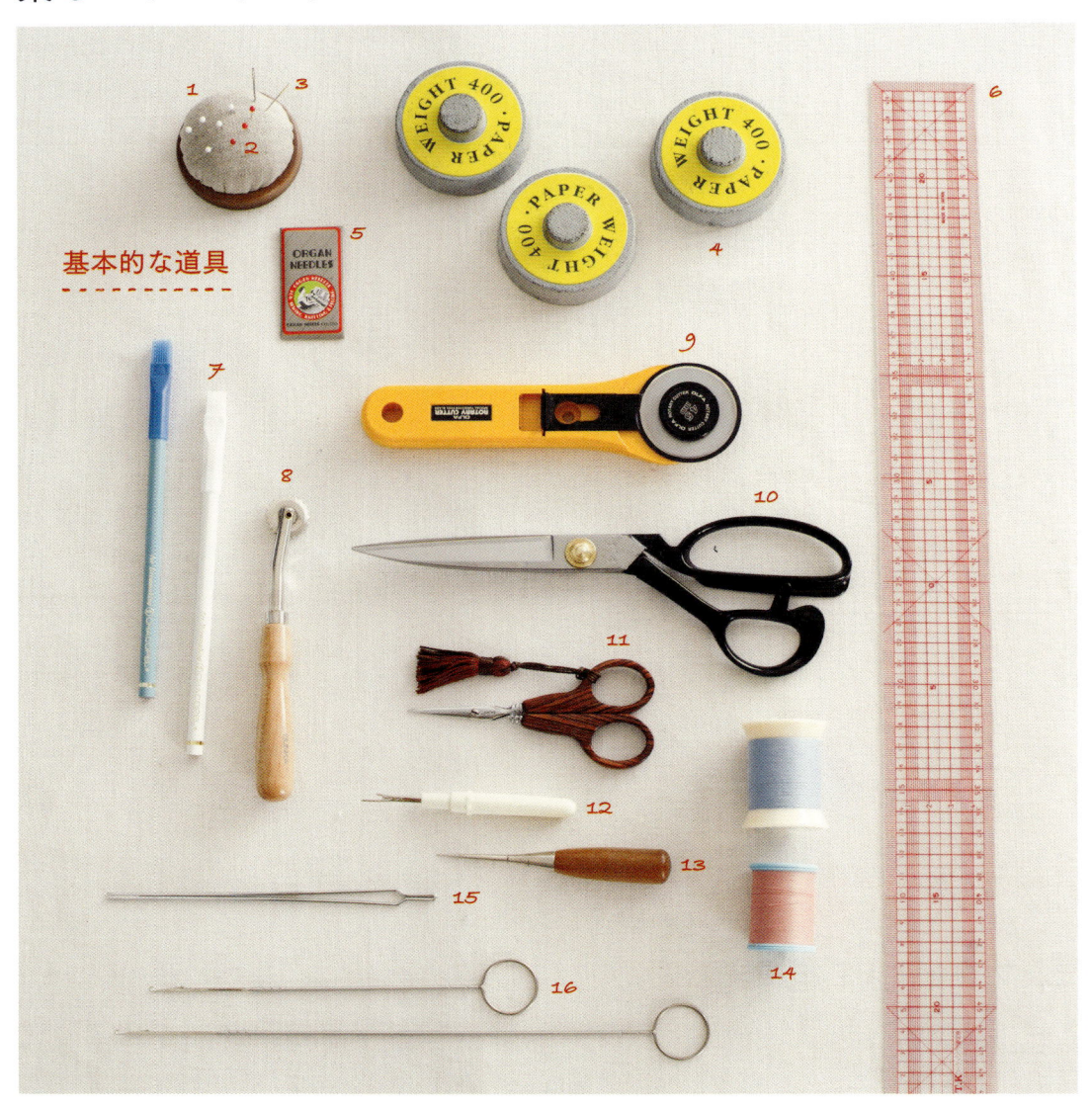

基本的な道具

1. 針山
作業中、針を一時的に
刺しておきます。

2. まち針
布がずれないように
まち針でとめて使います。

3. 手ぬい針
手ぬいでまつるときなどに
使います。

4. ウエイト
型紙をハトロン紙に写すとき
など、これでおさえます。

5. ミシン針
布の厚さによって
適した針を使います。

6. 方眼定規
方眼のラインで平行線を
引くことができ、カーブも
定規を起こしてはかれます。

7. チャコペンシル
布地に型紙を写すときや、
ぬいしろの印つけに使います。

8. ルレット
チャコ紙で布地に型紙を
写すときなどに使います。

9. ロータリーカッター
布を平らに置き、型紙に沿って
刃を転がしてカットします。

10. 裁ちばさみ
布以外のものを切ると切れ味が
落ちるので布地専用に。

11. 手芸用はさみ
細かな切り込みを入れたり、
糸を切るのに便利。

12. リッパー
ぬい目の糸切りに使います。
ぬい目をほどくときなどに便利。

13. 目打ち
角を整えたり、
ぬい目をほどいたりに。

14. ミシン糸
ミシンや布によって適した
太さや色の糸を使います。

15. ゴム通し
ウエストや袖口にゴムを
通すときに使います。

16. ループ返し
先がカギになっているので、
細いひもでも簡単に裏返せます。

ミシン糸とミシン針

ローンなどごく薄い布‥‥90番の糸、9号針
普通の厚さの布‥‥‥‥60番、50番の糸、11号針
普通〜厚地の布‥‥‥‥30番の糸、14号針
デニムなど厚地の布‥‥20番の糸、16号針

ニット用の針と糸

ニット地をぬうにはニット用の針と糸を使用します。
ミシンはロックミシンがおすすめです。
直線用ミシンでぬうときは肩をぬい合わせるときなど、
伸び止めテープを貼ってぬいます。

布の幅

90〜92cm ‥‥‥ギンガムやシルク、ブロードなど。
110〜120cm ‥‥コットンやリネン、化繊など。
140〜180cm ‥‥ウールやニット地など

布の名称

布幅‥‥‥‥布の横地の耳から耳まで。
耳‥‥‥‥‥織り糸が折り返している両端。
縦地‥‥‥‥耳に平行している布目で、裁ち方図に矢印で示しています。
横地‥‥‥‥耳に対し直角の布目。
バイアス‥‥縦地に対して45度の角度で伸びやすい。

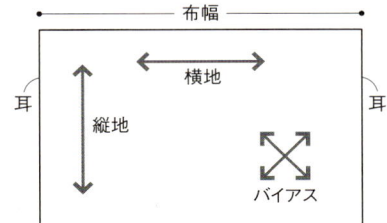

布の必要量の目安

90〜92cm	ブラウス	（身頃丈＋袖丈）×2＋30cm
	ワンピース	（身頃丈＋スカート丈＋袖丈）×2＋30cm
	スカート	スカート丈×2＋20cm
110〜120cm	ブラウス	身頃丈×2＋袖丈＋30cm
	ワンピース	（身頃丈＋スカート丈）×2＋袖丈＋30cm
	スカート	スカート丈×2＋20cm
140〜180cm	ブラウス	身頃丈＋袖丈＋20cm
	ワンピース	身頃丈＋スカート丈＋袖丈＋20cm
	スカート	スカート丈＋15cm（ベルトがつく場合は、ベルトの長さ＋5cm）

＊パンツの場合はスカート丈のところをパンツ丈にしてください。

布の水通しと地直し

洗濯による縮みを防いだり、布目を真っすぐにするため、布を裁つ前に地直しをします。

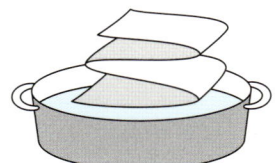

1. 水につける

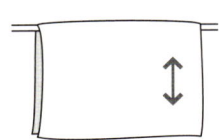

2. 陰干しする

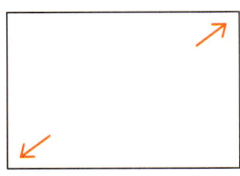

3. 半乾きの状態で地直し。角が直角になるように引っぱる。

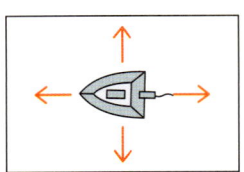

4. 半乾きの状態で布目に沿ってアイロンをかける。

型紙を作る

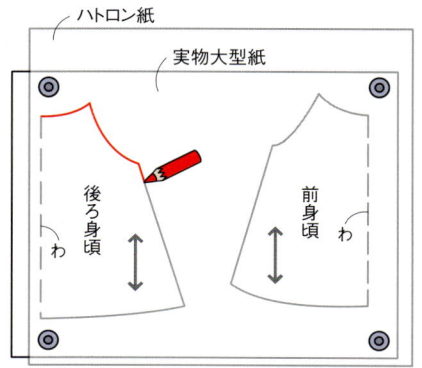

1. 実物大型紙の上にハトロン紙（トレーシングペーパーでもよい）をのせ、ウエイトでずれないように固定して鉛筆で写す。「わ」や布目線、「ポケットつけ位置」など型紙の中の印をかき写す。

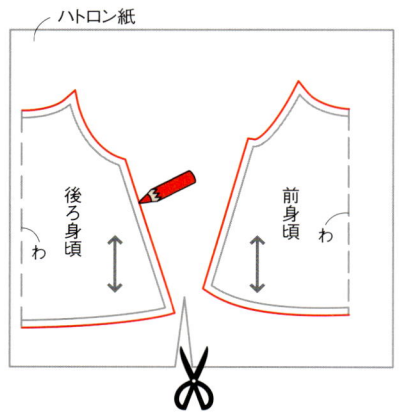

2. 裁ち方図を参照してぬいしろをつける。ハトロン紙をはずして、ぬいしろ線どおりにはさみで切る。

布を裁つ

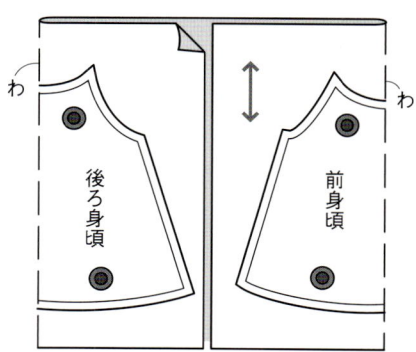

1. 裁ち方図を参考に、布目線が真っすぐになるように布を中表にたたみ、上に型紙を置く。型紙の「わ」の部分と布の「わ」を合わせる。

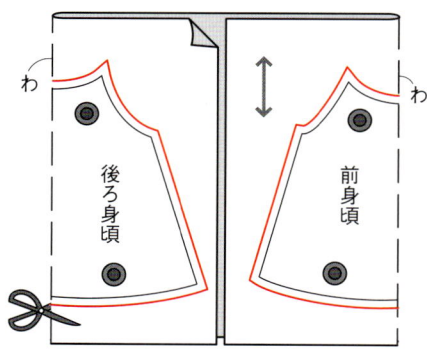

2. 間違いがないかよく確認してから、ぬいしろ線を裁断する。布は平らに置き、なるべく布を動かさないようにしてカットする。

[布を裁つときのポイント]

角の部分はぬいしろが不足しないように注意。図のようにぬいしろを折りたたんだ状態にしてカットする。

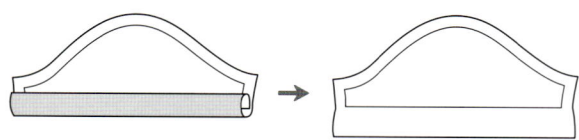

ソーイングの基本

○ わ
布地を二つに折ってできる部分を「わ」といいます。

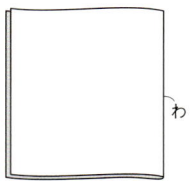

○ ぬい始め、ぬい終わり
ぬい始めやぬい終わりは、糸がほつれないように1cmほど重ねて返しぬいします。

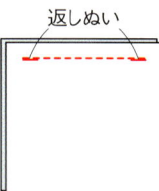

○ 中表と外表
布地の表と表を向かい合わせて重ねることを「中表」といい、裏と裏を向かい合わせて重ねることを「外表」といいます。

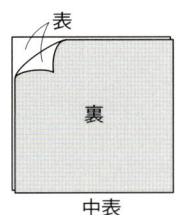 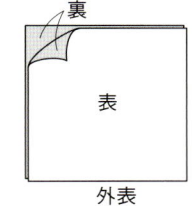

○ 三つ折り
裾や袖の始末に、でき上がり線で一度折り、さらに布端を内側に入れて折ります。

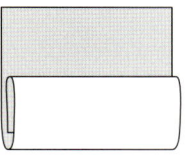

○ 四つ折り
バイアス布を作るときなどに、端と端を中心に合わせて折り、さらに中心で折ります。

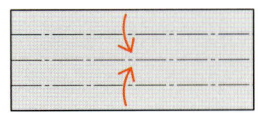 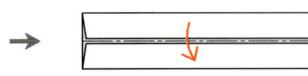 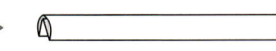

○ バイアス布を作る
布目に対して45度の角度で必要な布幅にカットします。

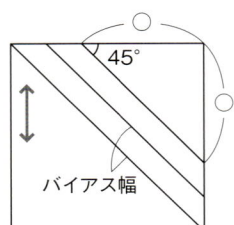

○ バイアス布のはぎ方
2枚のバイアス布を中表に直角に合わせてぬいます。ぬいしろを割り、余分なぬいしろをカットします。

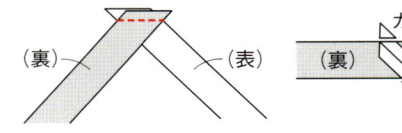

○ ボタンホールの作り方

1. チャコペンでボタンホールを描く
2. 細かい目のジグザグミシンをかける

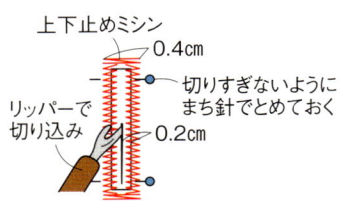

3. リッパーで切り込みを入れる

a. バルーンパンツ
photo … p.6

○ 材料　※身長90cm用は（　）内

表布‥‥‥‥‥110cm幅×70cm（80、90共通）
裏布‥‥‥‥‥130cm幅×30cm（80、90共通）
ゴム‥‥‥‥‥15mm幅×42cm（44cm）
ボタン‥‥‥‥直径15mm　1個

○ 実物大型紙 A 面

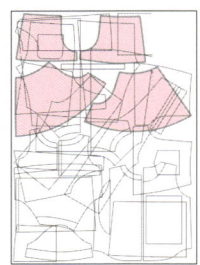

・前パンツ
・後ろパンツ
・後ろ裏パンツ
・前裏パンツ
※ベルトは製図

○ 裁ち方図（単位cm　※ぬいしろは指定以外1cm　※ベルトはぬいしろ込み）

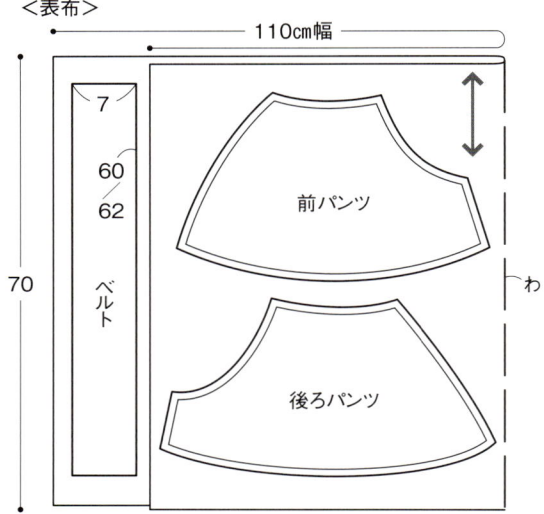

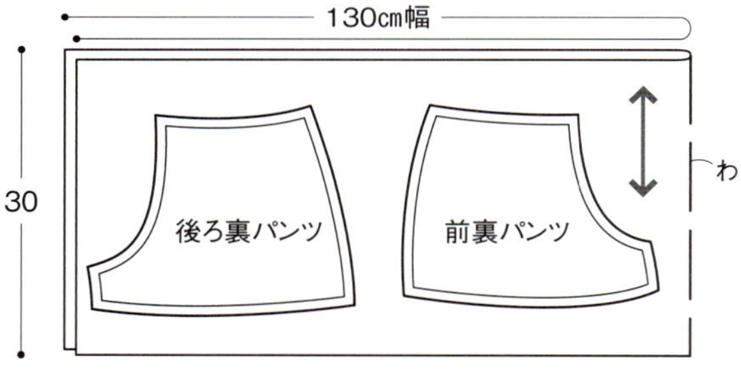

How to make

1. 布を裁つ

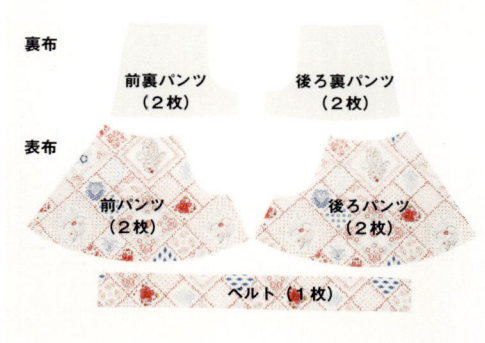

2. 表パンツ、裏パンツそれぞれ脇をぬう

①裏パンツの前、後ろを中表に合わせ、脇をぬう。

②表パンツの前、後ろを中表に合わせて脇をぬう。

③ぬいしろを割りアイロンをする。(裏パンツ)

3. 表パンツの裾にギャザーを寄せ、裏パンツとぬい合わせる

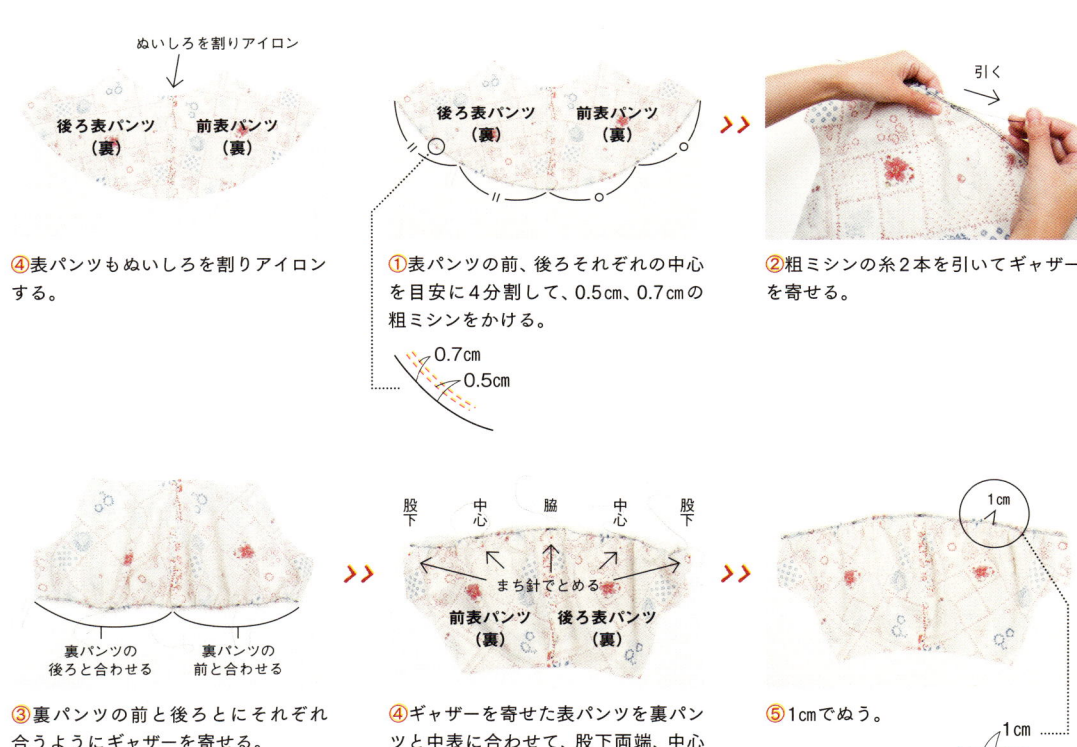

④表パンツもぬいしろを割りアイロンする。

①表パンツの前、後ろそれぞれの中心を目安に4分割して、0.5cm、0.7cmの粗ミシンをかける。

②粗ミシンの糸2本を引いてギャザーを寄せる。

③裏パンツの前と後ろとにそれぞれ合うようにギャザーを寄せる。

④ギャザーを寄せた表パンツを裏パンツと中表に合わせて、股下両端、中心印、脇をまち針でとめる。

⑤1cmでぬう。

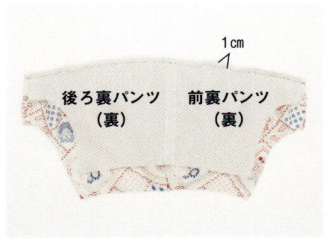
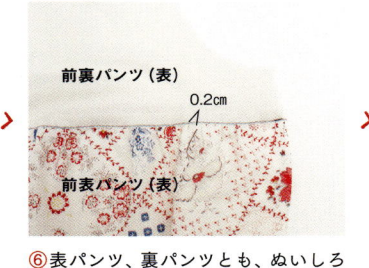
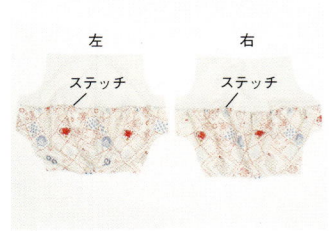

⑥表パンツ、裏パンツとも、ぬいしろを裏パンツ側に倒し、表から0.2cmのステッチでおさえる。

⑦右、左同様にする。

4. 表パンツ、裏パンツそれぞれの股上をぬう

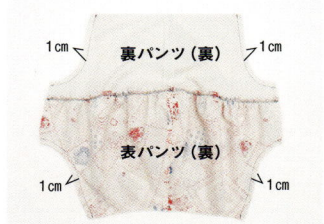

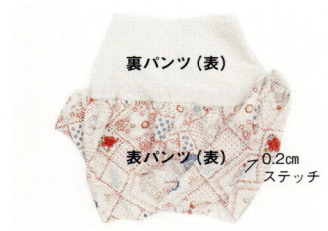

①右と左を中表に合わせて、股上をそれぞれぬう。

②カーブのきついところに切り込みを入れる。

③表パンツのぬいしろを、前、後ろそれぞれ右側に倒し、表から0.2cmのステッチを入れる。

5. 股下をぬう

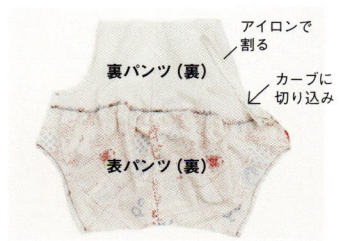
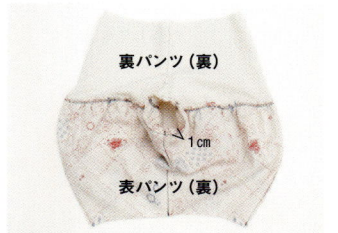
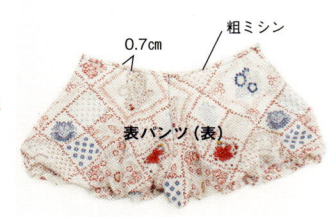

④裏パンツのぬいしろはアイロンで割る。

①前どうし、後ろどうしを中表に合わせて股下を1cmでぐるりとぬう。二重にぬう。

②表に返して形を整え、ウエストを表、裏合わせて0.7cmの位置で粗ミシンで仮止める。

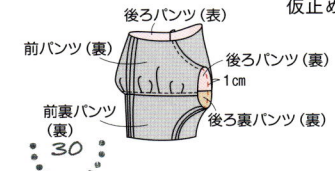

6. ウエストベルトをつける

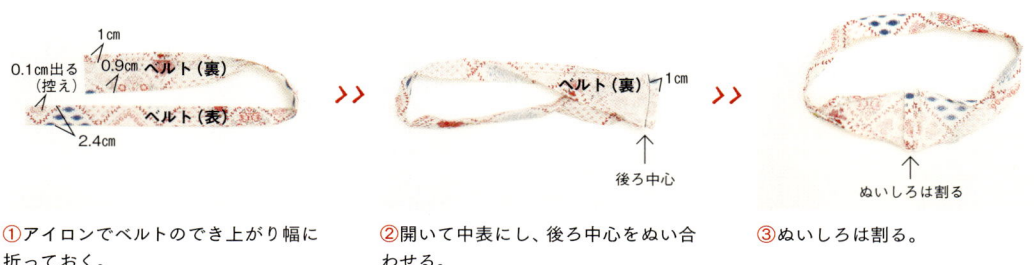

① アイロンでベルトのでき上がり幅に折っておく。

② 開いて中表にし、後ろ中心をぬい合わせる。

③ ぬいしろは割る。

④ パンツと中表に合わせる。

⑤ 1cmでぬい合わせる。

⑥ ベルトの形に整え、表から0.1cmのステッチでおさえる。ゴムを通すところを5cmほどあけておく。

⑦ ゴムを通す。

⑧ ゴムは1cm重ねてぬい止める。

⑨ 前が分かるように飾りボタンをつける。

b. プルオーバーシャツ
photo … p.6

○ 材料 ※身長80cm、90cm共通

表布‥‥‥‥‥ 140cm幅×50cm
　　　　　　　（110cm幅×70cm）
ボタン‥‥‥‥ 直径11.5mm　1個

○ 実物大型紙 A面

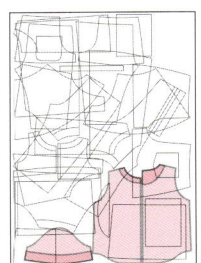

- 後ろ身頃
- 前身頃
- 袖
- カフス
- 後ろ見返し
- 前見返し

○ 裁ち方図

（単位cm　※ぬいしろは指定以外1cm　※110cm幅の場合は、後ろ見返しと
ループを上に、袖、カフスを両身頃の下に並べてください）

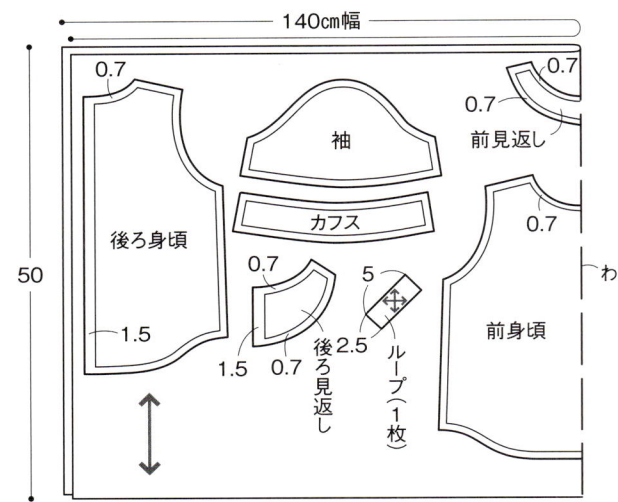

How to make

1. 後ろ中心をぬう

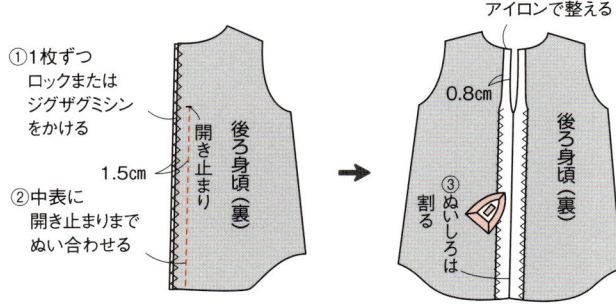

①1枚ずつロックまたはジグザグミシンをかける
②中表に開き止まりまでぬい合わせる
③ぬいしろは割る
④開き止まりから上を0.8cmの三つ折りにしアイロンで整える

2. 肩をぬい見返しをつける

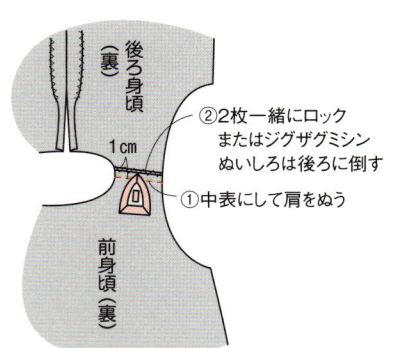

①中表にして肩をぬう
②2枚一緒にロックまたはジグザグミシン　ぬいしろは後ろに倒す

[ループを作る]

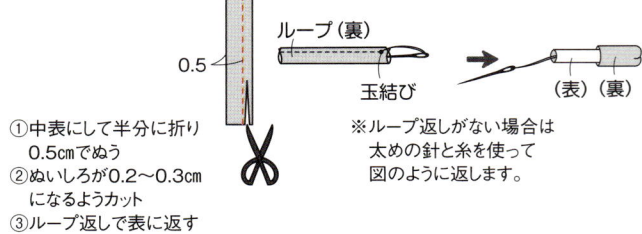

①中表にして半分に折り0.5cmでぬう
②ぬいしろが0.2～0.3cmになるようカット
③ループ返しで表に返す

※ループ返しがない場合は太めの針と糸を使って図のように返します。

[見返しを作り身頃とぬい合わせる]

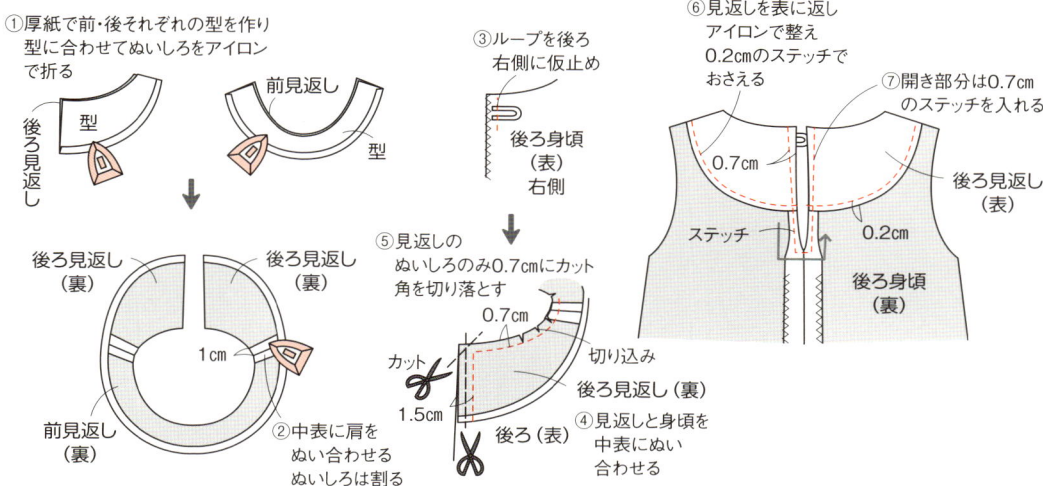

3. 袖をつける

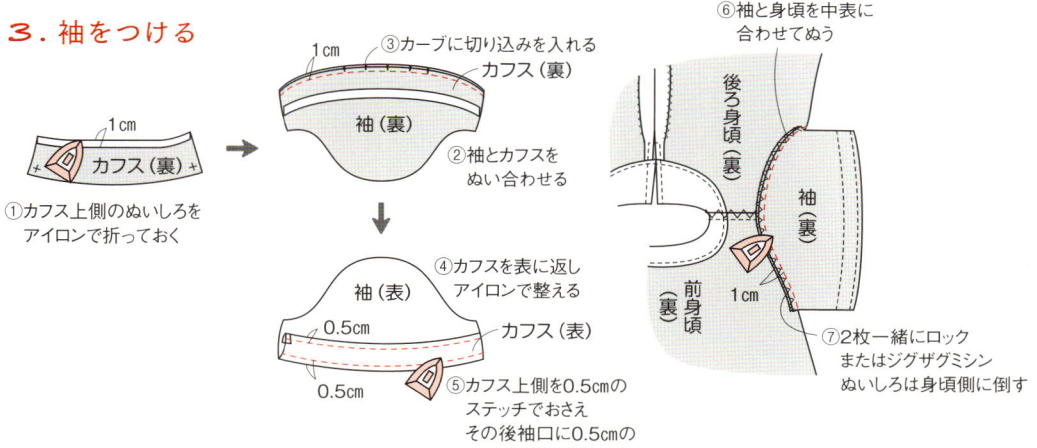

4. 袖下と脇をぬう

5. 裾を上げる

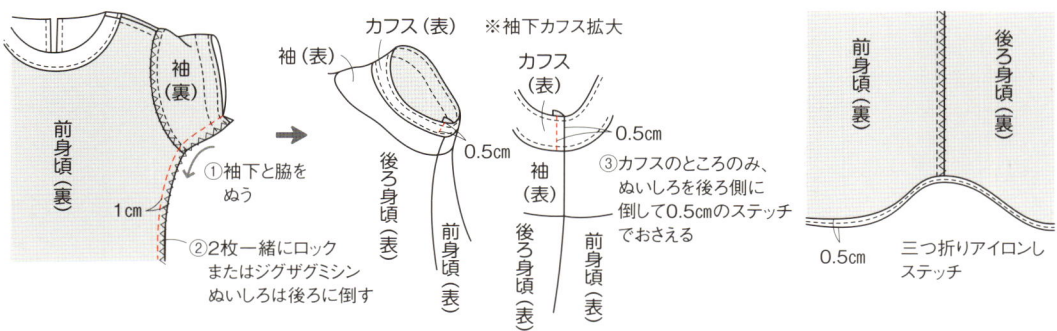

6. ボタンをつけてでき上がり

c. タックパンツ

photo … p.7

○ 材料 ※身長90cm用は（ ）内

表布‥‥‥‥‥ 110cm幅×80cm（80、90共通）
ゴム‥‥‥‥‥ 15mm幅×42cm（44cm）

○ 実物大型紙 A面

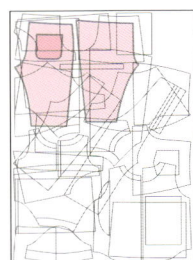

・前パンツ
・後ろパンツ
・ポケット
※ベルトは製図

○ 裁ち方図（単位cm ※ぬいしろは指定以外1cm ※ベルトはぬいしろ込み）

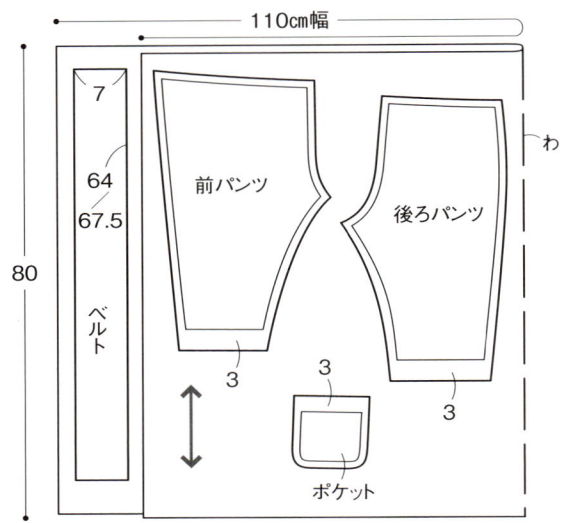

How to make

1. 前パンツのタックをたたむ

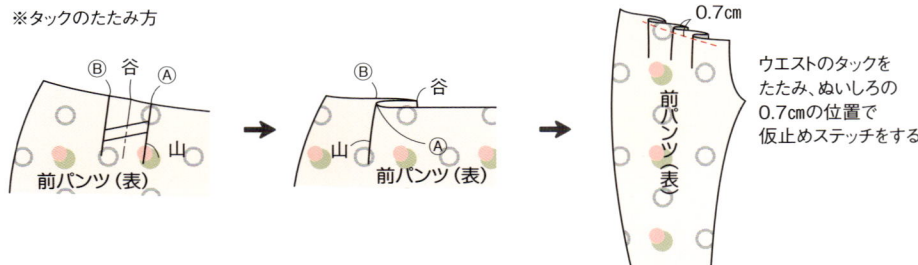

2. 後ろポケットをつける

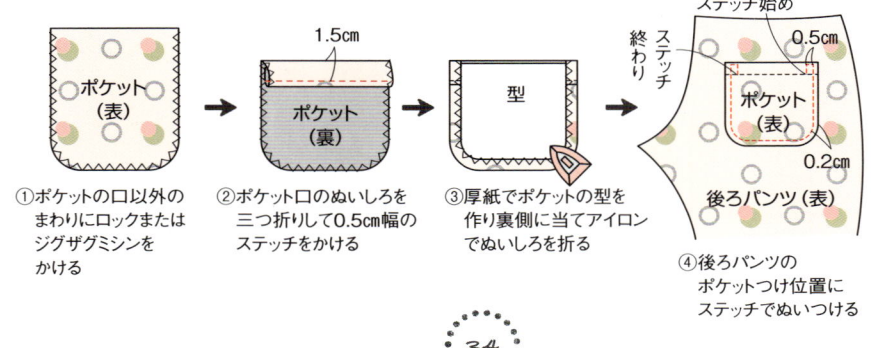

①ポケットの口以外のまわりにロックまたはジグザグミシンをかける

②ポケット口のぬいしろを三つ折りして0.5cm幅のステッチをかける

③厚紙でポケットの型を作り裏側に当てアイロンでぬいしろを折る

④後ろパンツのポケットつけ位置にステッチでぬいつける

３．脇と股下をぬう

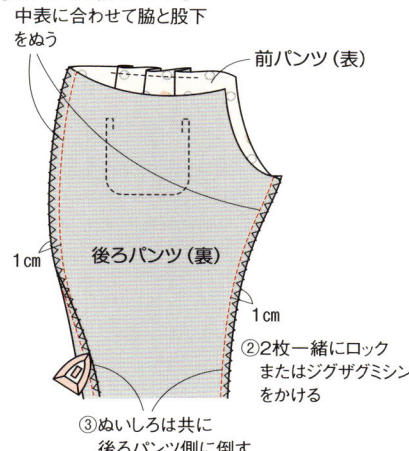

４．股上をぬう

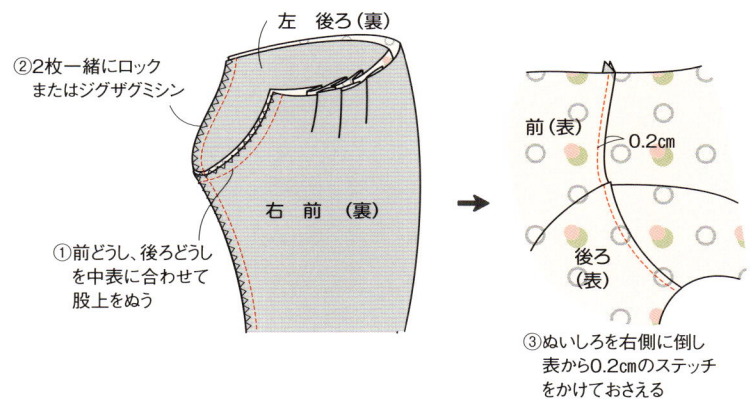

５．ベルトをつけ裾を上げる

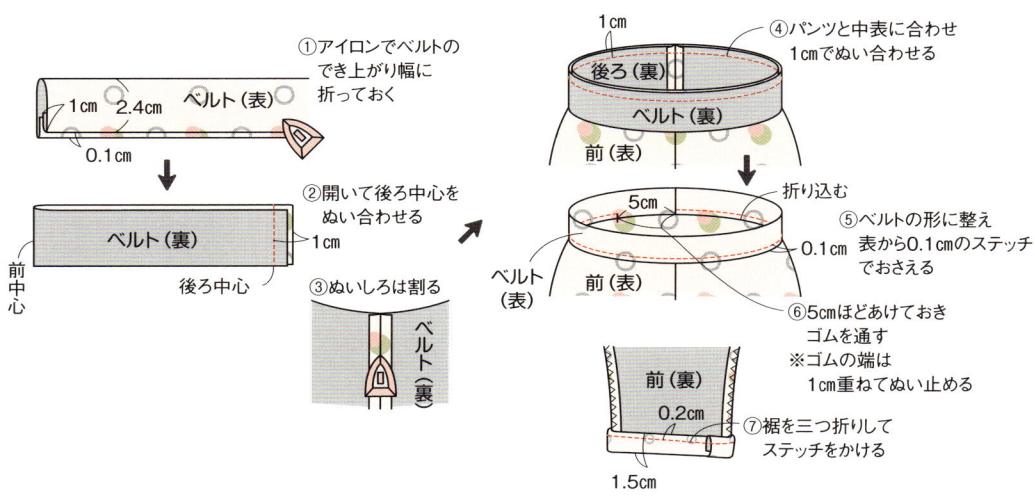

d. フリル袖チュニック

photo … p.8

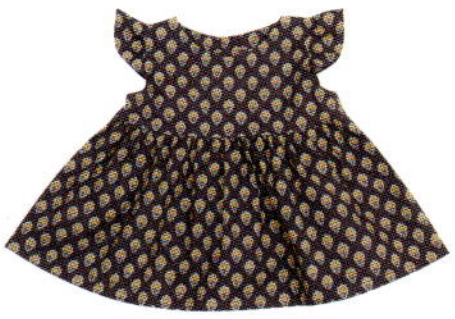

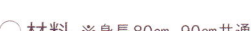

◯材料 ※身長80cm、90cm共通

表布………… 105cm幅×80cm（80、90共通）
接着芯………… 縦30cm×横10cm（共通）
ボタン………… 13mm　5個

◯実物大型紙 A 面

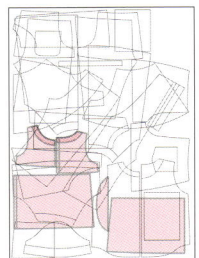

・後ろ身頃
・前身頃
・袖
・前ヨーク
・後ろヨーク
・後ろ見返し
・前見返し

◯裁ち方図（単位cm　※ぬいしろは指定以外1cm）

※ は接着芯を貼る
105cm幅
80
前見返し
わ
後ろ見返し
後ろ身頃
前身頃
袖
袖バイアス布
後ろヨーク
前ヨーク
0.7
0
2
4
2.5
29.5
30.5

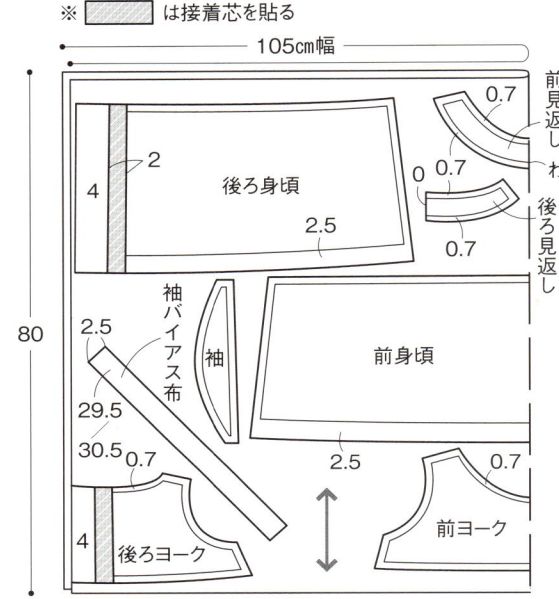

How to make

1. ヨークの脇と肩、身頃の脇をそれぞれぬう

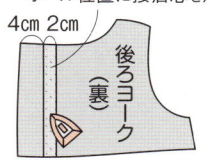

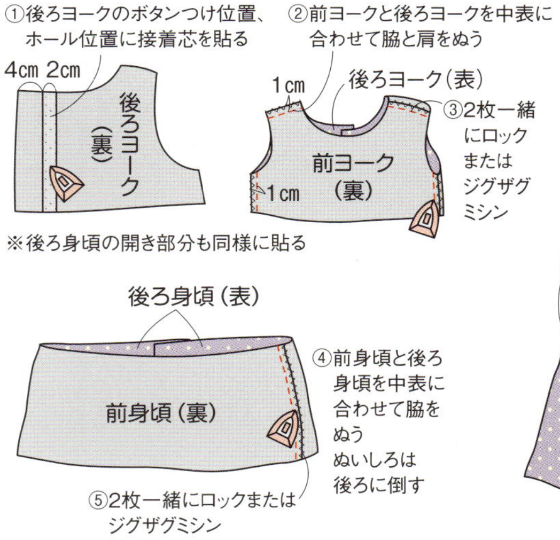

①後ろヨークのボタンつけ位置、ホール位置に接着芯を貼る
4cm 2cm
後ろヨーク（裏）
②前ヨークと後ろヨークを中表に合わせて脇と肩をぬう
1cm
後ろヨーク（表）
前ヨーク（裏）
③2枚一緒にロックまたはジグザグミシン
※後ろ身頃の開き部分も同様に貼る
後ろ身頃（表）
前身頃（裏）
④前身頃と後ろ身頃を中表に合わせて脇をぬう ぬいしろは後ろに倒す
⑤2枚一緒にロックまたはジグザグミシン

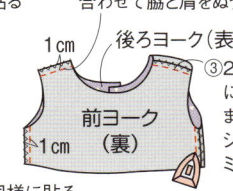

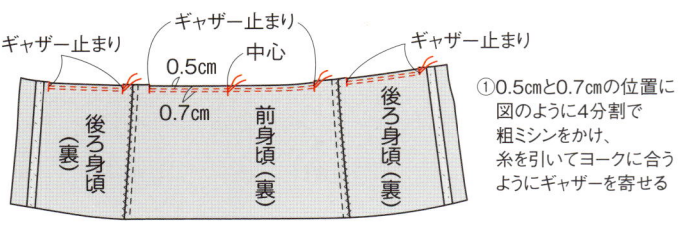

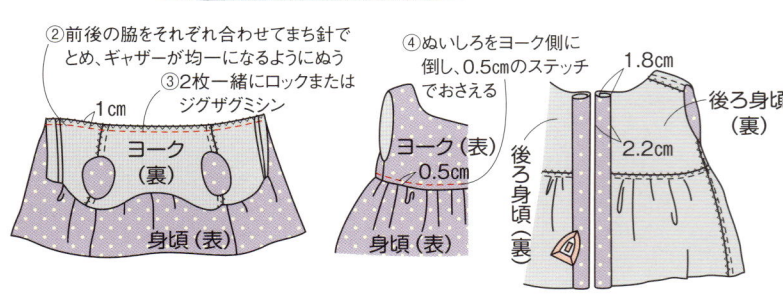

2. 身頃にギャザーを寄せ、ヨークとぬい合わせる

ギャザー止まり
中心
0.5cm
0.7cm
後ろ身頃（裏）
前身頃（裏）
①0.5cmと0.7cmの位置に図のように4分割で粗ミシンをかけ、糸を引いてヨークに合うようにギャザーを寄せる
②前後の脇をそれぞれ合わせてまち針でとめ、ギャザーが均一になるようにぬう
1cm
③2枚一緒にロックまたはジグザグミシン
ヨーク（裏）
身頃（表）
④ぬいしろをヨーク側に倒し、0.5cmのステッチでおさえる
ヨーク（表）
0.5cm
1.8cm
2.2cm
後ろ身頃（裏）
⑤後ろ開き部分を三つ折りし、アイロンで整える

3. 見返しをつける

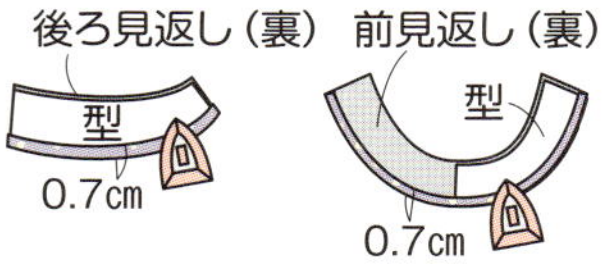

① 厚紙で前・後見返しのそれぞれの型を作り
型に合わせてぬいしろをアイロンで折る
※型は下側のみでき上がりにしたものを使用

後ろ見返し(裏) 0.7cm / 前見返し(裏) 0.7cm

② 中表に肩をぬい合わせる
ぬいしろは割る

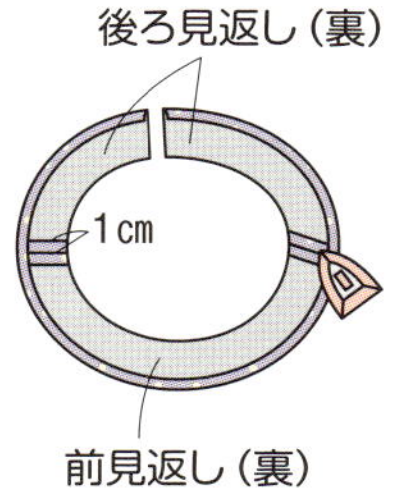

後ろ見返し(裏) 1cm 前見返し(裏)

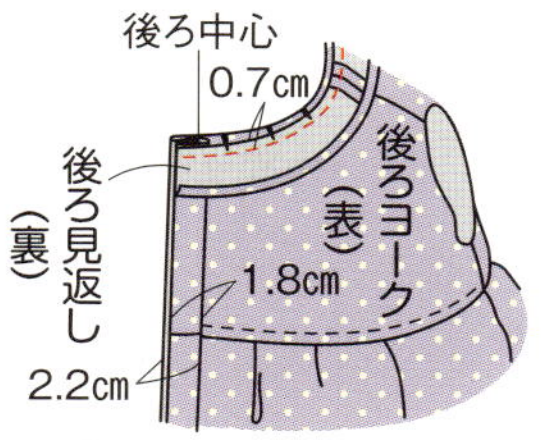

後ろ中心 0.7cm
後ろ見返し(裏) 1.8cm 2.2cm 後ろヨーク(表)

③ 後ろ開き部分のぬいしろを
図のように折り返し、その上に
見返しをのせて衿ぐりをぬう
カーブに切り込みを入れる

後ろヨーク(裏) 0.2cm

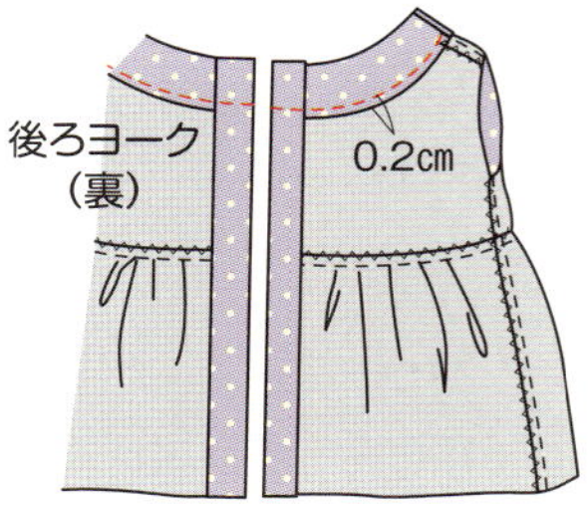

④ 見返しを表に返し、アイロンで整え
0.2cmのステッチでおさえる

4. 後ろ開きを作り、裾を上げる

① 後ろ開き部分のぬいしろを
表側に折り返し、
裾から2.5cmの位置をぬう

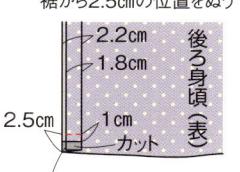

2.2cm / 1.8cm / 2.5cm / 1cm カット 後ろ身頃(表)

② ぬったところより1cm下の
折り返したぬいしろのみを
切り落とす

④ 後ろ開き部分をアイロンで整え
ステッチでおさえる

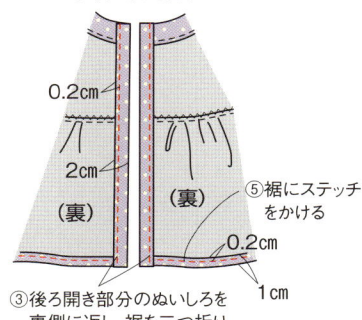

0.2cm / 2cm (裏) / 0.2cm / 1cm

③ 後ろ開き部分のぬいしろを
裏側に返し、裾を三つ折り

⑤ 裾にステッチをかける

5. 袖をつける

① 袖口を三つ折りアイロンをかけステッチ

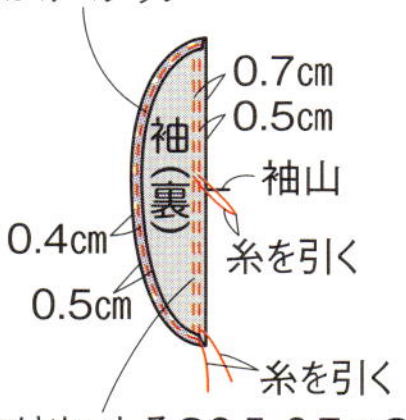

袖(裏) 0.7cm 0.5cm 0.4cm 0.5cm 袖山 糸を引く 糸を引く

② 袖つけぬいしろの0.5、0.7cmの
位置に粗ミシンをかけ、袖つけ位置に
合うようにギャザーを寄せる

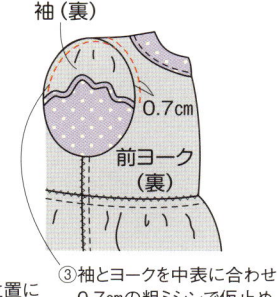

袖(裏) 0.7cm 前ヨーク(裏)

③ 袖とヨークを中表に合わせ
0.7cmの粗ミシンで仮止め

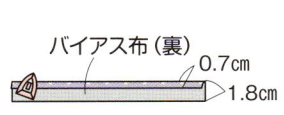

バイアス布(裏) 0.7cm 1.8cm

④ バイアス布をアイロンで折っておく

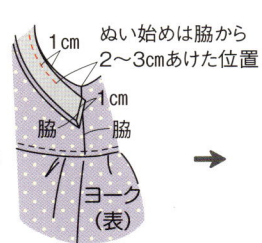

ぬい始めは脇から2〜3cmあけた位置
1cm / 1cm / 脇 脇 ヨーク(表)

⑤ バイアス布は脇下にぬいしろを
1cm余らせ、そこから2〜3cmの
位置からぬう
最後も2〜3cm手前でぬい止める

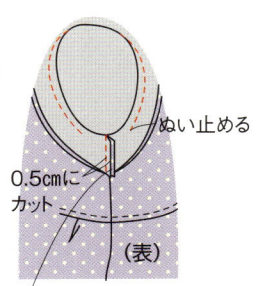

ぬい止める
0.5cmにカット
(表)

⑥ バイアス布の始めと終わりを
脇の位置で合わせ、ぬう
ぬいしろは0.5cmになるようカット

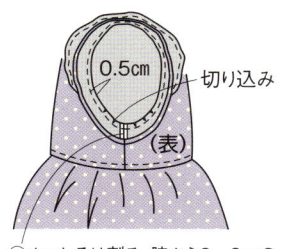

0.5cm 切り込み (表)

⑦ ぬいしろは割る。脇から2〜3cmの
ぬい残しをぬい、袖ぐりのぬいしろを
0.5cmに切りそろえる。
カーブに切り込みを入れる

ヨーク(裏) 0.7cm 0.8cm

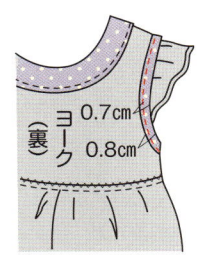

⑧ バイアス布を裏側に返し
0.7cmのステッチでおさえる

6. 後ろ開きにボタンホールをあけ、ボタンをつける

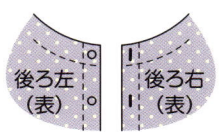

後ろ左(表) 後ろ右(表)

右側にホール、
左側にボタンをつける

e. ショートパンツ

photo … p.8

○ 材料　※身長90cm用は（ ）内

表布・・・・・・・・140cm幅×80cm（80、90共通）
　　　　　　　　（110cm幅も用尺は同じ）
ゴム・・・・・・・・15mm幅　42cm（44cm）

○ 実物大型紙 A面

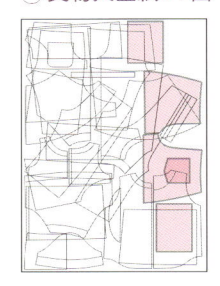

- 前パンツ
- 後ろパンツ
- ポケット
- 前・後ろ裾布

※ベルトは製図

○ 裁ち方図（単位cm　※ぬいしろは指定以外1cm　※ベルトはぬいしろ込み）

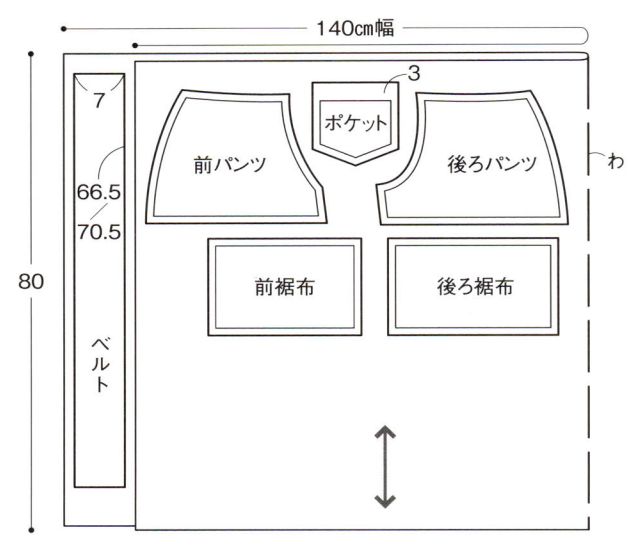

140cm幅
7
66.5
70.5
80
ベルト
前パンツ
ポケット　3
後ろパンツ
わ
前裾布
後ろ裾布

※110cm幅の場合は、ベルトの裁ち方は同じ、後ろパンツと前パンツを生地のわのほうに縦に並べ、前裾布、後ろ裾布を隣に縦に並べ、あいているところにポケットを並べます。

How to make

1. 後ろパンツにポケットをつける

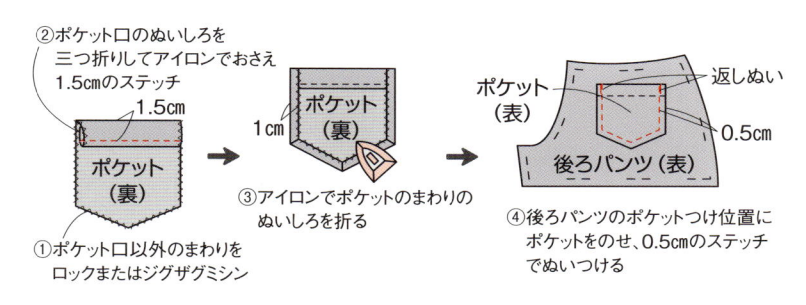

② ポケット口のぬいしろを三つ折りしてアイロンでおさえ1.5cmのステッチ

1.5cm

ポケット（裏）

① ポケット口以外のまわりをロックまたはジグザグミシン

1cm

ポケット（裏）

③ アイロンでポケットのまわりのぬいしろを折る

ポケット（表）　返しぬい

0.5cm

後ろパンツ（表）

④ 後ろパンツのポケットつけ位置にポケットをのせ、0.5cmのステッチでぬいつける

2. 脇と股下をぬう

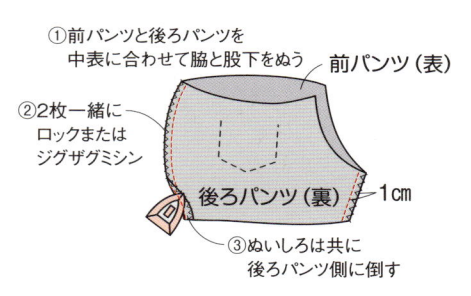

① 前パンツと後ろパンツを中表に合わせて脇と股下をぬう

前パンツ（表）

② 2枚一緒にロックまたはジグザグミシン

後ろパンツ（裏）　1cm

③ ぬいしろは共に後ろパンツ側に倒す

3. 股上をぬう

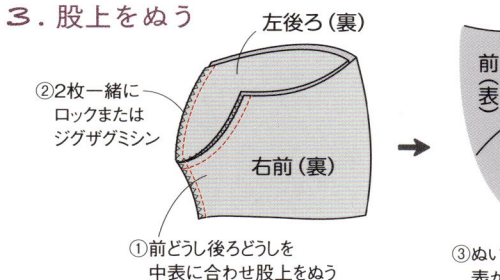

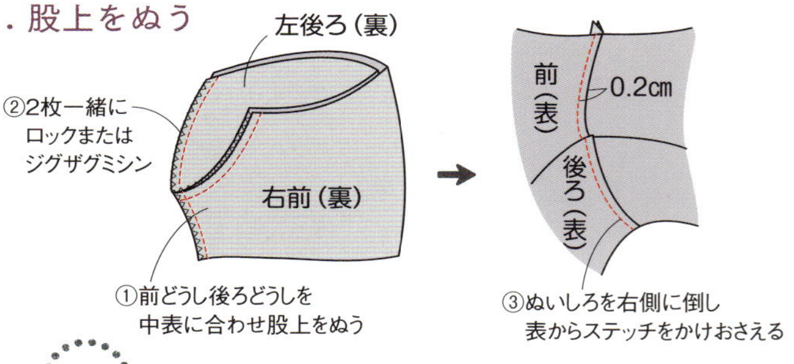

左後ろ（裏）

② 2枚一緒にロックまたはジグザグミシン

右前（裏）

① 前どうし後ろどうし中表に合わせ股上をぬう

0.2cm

前（表）

後ろ（表）

③ ぬいしろを右側に倒し表からステッチをかけおさえる

4. 裾布をつける

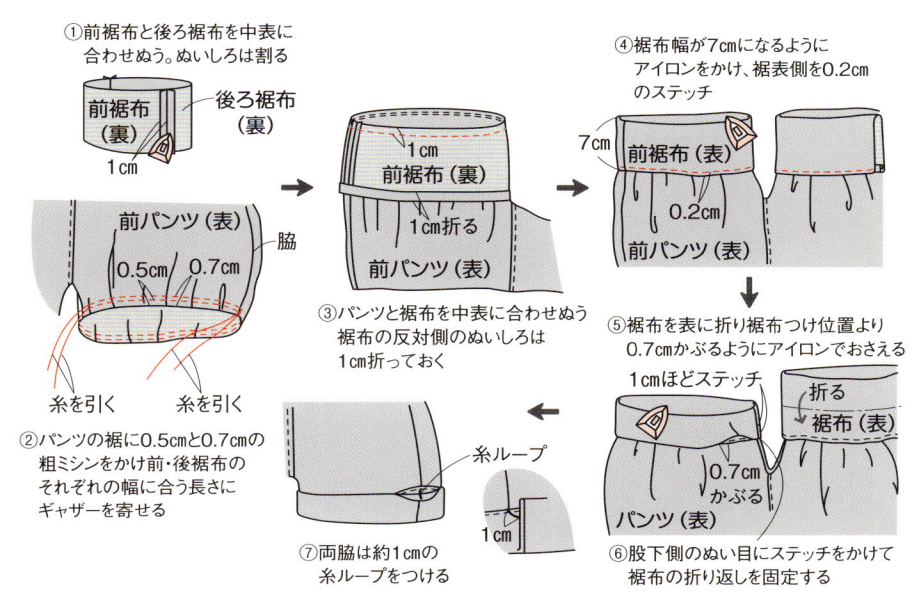

① 前裾布と後ろ裾布を中表に合わせぬう。ぬいしろは割る

② パンツの裾に0.5cmと0.7cmの粗ミシンをかけ前・後裾布のそれぞれの幅に合う長さにギャザーを寄せる

③ パンツと裾布を中表に合わせぬう 裾布の反対側のぬいしろは1cm折っておく

④ 裾布幅が7cmになるようにアイロンをかけ、裾表側を0.2cmのステッチ

⑤ 裾布を表に折り裾布つけ位置より0.7cmかぶるようにアイロンでおさえる

⑥ 股下側のぬい目にステッチをかけて裾布の折り返しを固定する

⑦ 両脇は約1cmの糸ループをつける

[糸ループの作り方]

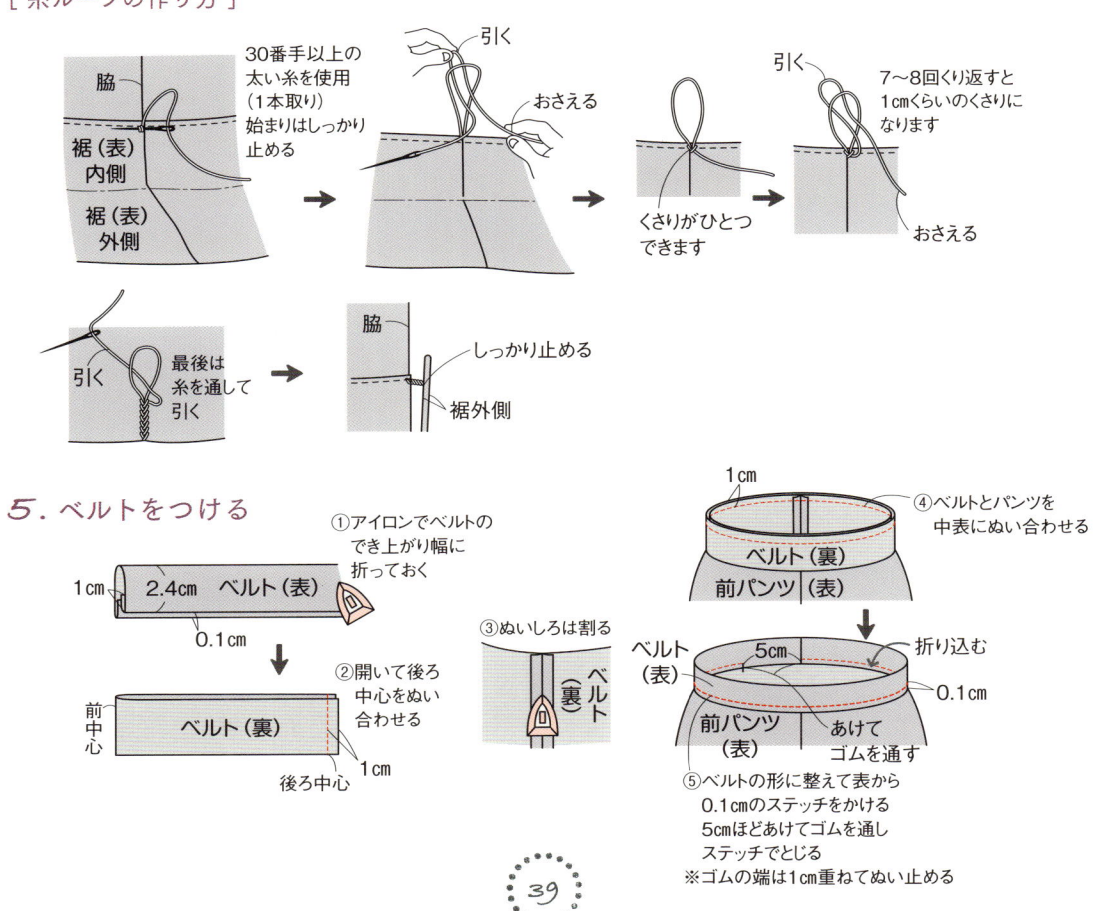

30番手以上の太い糸を使用（1本取り）始まりはしっかり止める

くさりがひとつできます

7〜8回くり返すと1cmくらいのくさりになります

最後は糸を通して引く

しっかり止める

5. ベルトをつける

① アイロンでベルトのでき上がり幅に折っておく

② 開いて後ろ中心をぬい合わせる

③ ぬいしろは割る

④ ベルトとパンツを中表にぬい合わせる

⑤ ベルトの形に整えて表から0.1cmのステッチをかける 5cmほどあけてゴムを通しステッチでとじる
※ゴムの端は1cm重ねてぬい止める

f. ドルマンブラウス

photo … p.10

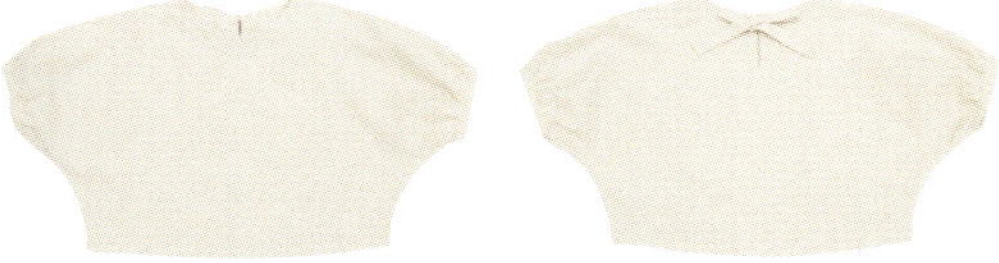

○ 材料 ※身長80cm、90cm共通

表布 ・・・・・・・・・・ 115cm幅×90cm
ボタン ・・・・・・・・ 直径11.5mm　1個

○ 実物大型紙 A 面

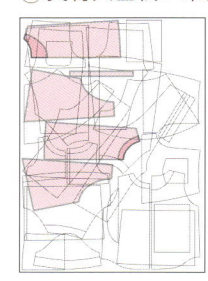

- 後ろ身頃
- 前身頃
- 後ろ見返し
- 前見返し
- 前脇
- 後ろ脇
- カフス

※ループ、リボンは製図

○ 裁ち方図（単位cm　※ぬいしろは指定以外1cm）

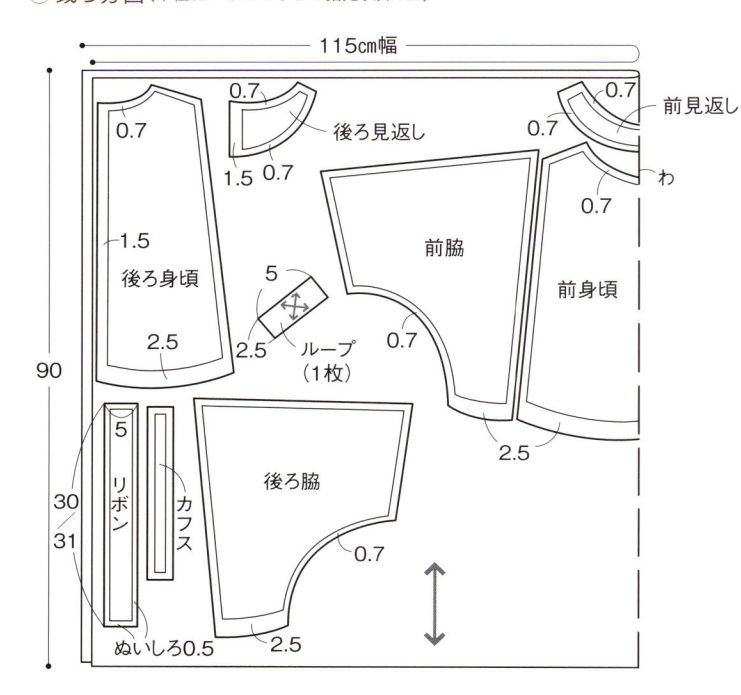

How to make

1. 前と前脇、後ろと後ろ脇をそれぞれぬう

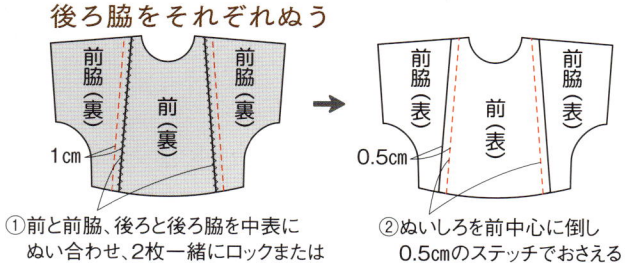

①前と前脇、後ろと後ろ脇を中表に
ぬい合わせ、2枚一緒にロックまたは
ジグザグミシン

②ぬいしろを前中心に倒し
0.5cmのステッチでおさえる

2. 後ろ中心をぬう

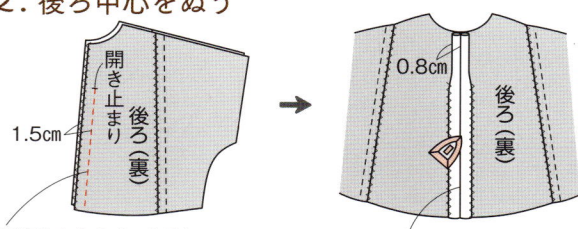

①後ろ中心のぬいしろに
それぞれロックまたはジグザグミシンをかけ
開き止まりから下をぬい合わせる

②割りアイロンをし、開き止まりから上は
0.8cmの三つ折りアイロンをかける

3. 肩から袖口までをぬう

①前と後ろを中表に合わせ
肩をぬい合わせる

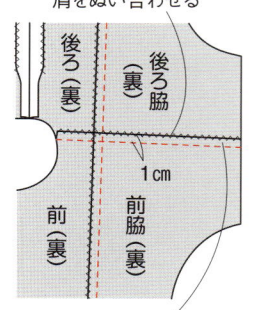

②2枚一緒にロック
またはジグザグミシン
ぬいしろは後ろに倒す

4. 見返しをつける

① 厚紙で前・後見返しそれぞれの型を作り
型に合わせてぬいしろをアイロンで折る
※型は折るところのみでき上がりにしたもの

② 中表に合わせて肩をぬう
ぬいしろは割る

③ ループを後ろ右側に仮止める
※長さが余分な場合はカット

④ 見返しを身頃とぬい合わせる
見返しのぬいしろを0.7cmでカット
角は一緒に切り落とす
カーブに切り込みを入れる

⑤ 見返しを表に返し、アイロンで整え
0.2cmのステッチでおさえる

⑥ 開き部分は0.7cmのステッチを入れる

[ループを作る]

① 中表にして半分に折り
0.5cmでぬう

② ぬいしろが0.2〜0.3cmになるようカット
※ループ返しで返す

③ ループ返しがない場合は
太めの針と糸を使って
針を通してゆっくり引く

5. 袖下から脇までぬい、裾を上げる

① 袖下から脇を0.7cmでぬい合わせる

② 2枚一緒にロックまたはジグザグミシン
ぬいしろは後ろに倒す

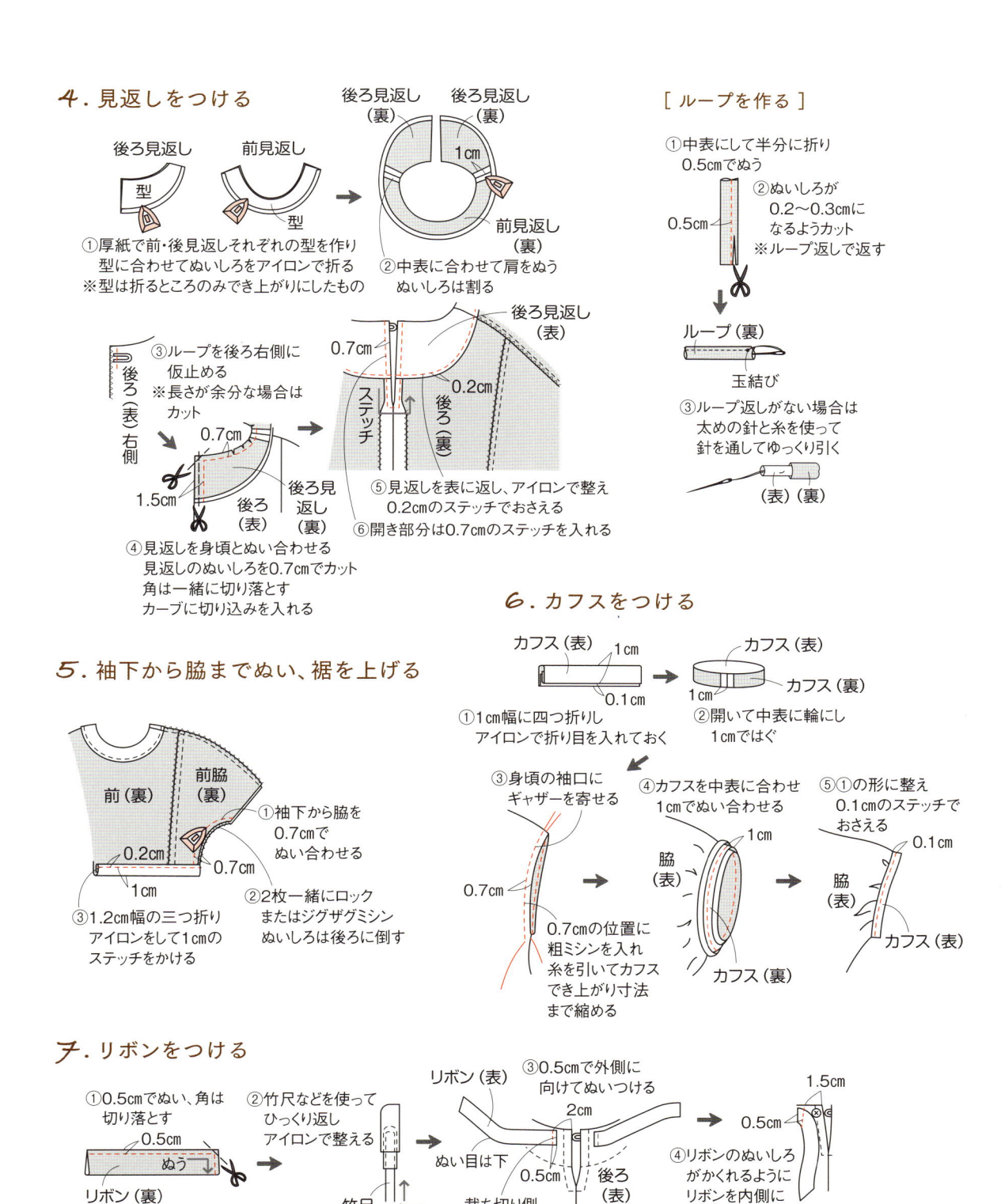

③ 1.2cm幅の三つ折り
アイロンをして1cmのステッチをかける

6. カフスをつける

① 1cm幅に四つ折りし
アイロンで折り目を入れておく

② 開いて中表に輪にし
1cmではぐ

③ 身頃の袖口にギャザーを寄せる
0.7cmの位置に
粗ミシンを入れ
糸を引いてカフス
でき上がり寸法
まで縮める

④ カフスを中表に合わせ
1cmでぬい合わせる

⑤ ①の形に整え
0.1cmのステッチでおさえる

7. リボンをつける

① 0.5cmでぬい、角は切り落とす

② 竹尺などを使って
ひっくり返し
アイロンで整える

③ 0.5cmで外側に向けてぬいつける

④ リボンのぬいしろがかくれるように
リボンを内側に向けてステッチ

8. ボタンをつけてでき上がり

g. サロペット

photo … p.10

○ 裁ち方図
(単位cm ※ぬいしろは指定以外1cm ※ベルトバイアス布はぬいしろ込み)

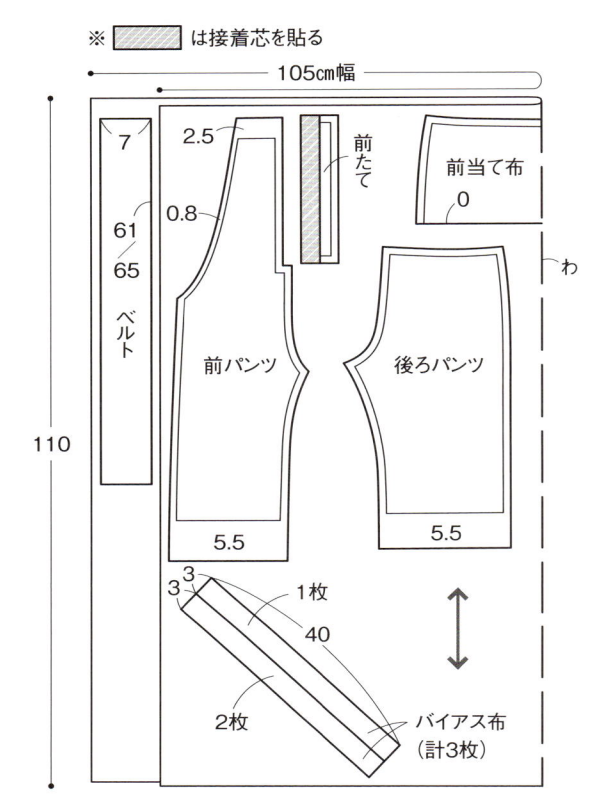

※ ▨ は接着芯を貼る

105cm幅

ベルト 7 / 61 / 65

2.5 / 0.8 / 前パンツ / 5.5

前たて

前当て布 0

後ろパンツ / 5.5

わ

バイアス布 (計3枚) 3 / 3 / 40 / 1枚 / 2枚

110

○ 材料 ※身長90cm用は( )内

- 表布 ………… 105cm幅×110cm (80、90共通)
- 接着芯 ……… 縦25cm×横10cm (80、90共通)
- ゴム ………… 15mm幅 42cm (44cm)
- 6コール …… 130cm (80、90共通)
- Dカン ……… 10mm幅 2個
- ボタン ……… 直径13mm 4個

○ 実物大型紙 A面

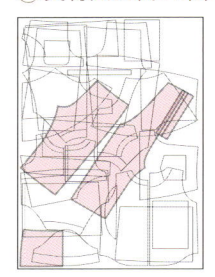

- 前パンツ
- 後ろパンツ
- 前たて
- 前当て布
- ※ベルトは製図

How to make

1. 前・後パンツの股上をそれぞれぬう

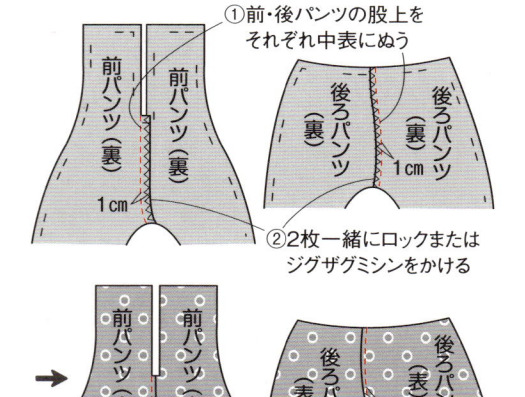

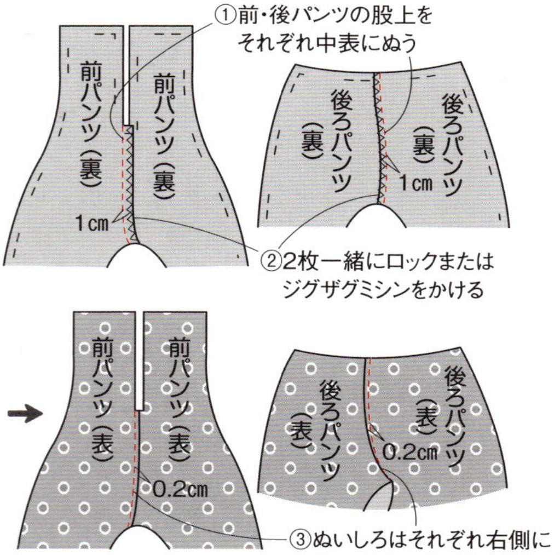

①前・後パンツの股上をそれぞれ中表にぬう

前パンツ(裏) 1cm 後ろパンツ(裏) 1cm

②2枚一緒にロックまたはジグザグミシンをかける

前パンツ(表) 後ろパンツ(表) 0.2cm

③ぬいしろはそれぞれ右側に倒し、0.2cmのステッチでおさえる

2. 前開きを作る

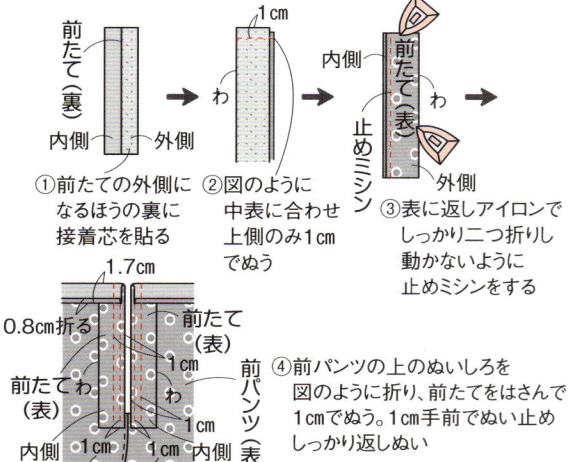

前たて(裏) 内側 外側

①前たての外側になるほうの裏に接着芯を貼る

1cm わ

②図のように中表に合わせ上側のみ1cmでぬう

内側 前たて(表) わ 外側 止めミシン

③表に返しアイロンでしっかり二つ折りし動かないように止めミシンをする

1.7cm / 0.8cm折る / 前たて(表) わ / 前たて(表) / 前パンツ(表) / 内側 1cm 1cm 内側 / ぬい止め

④前パンツの上のぬいしろを図のように折り、前たてをはさんで1cmでぬう。1cm手前でぬい止めしっかり返しぬい

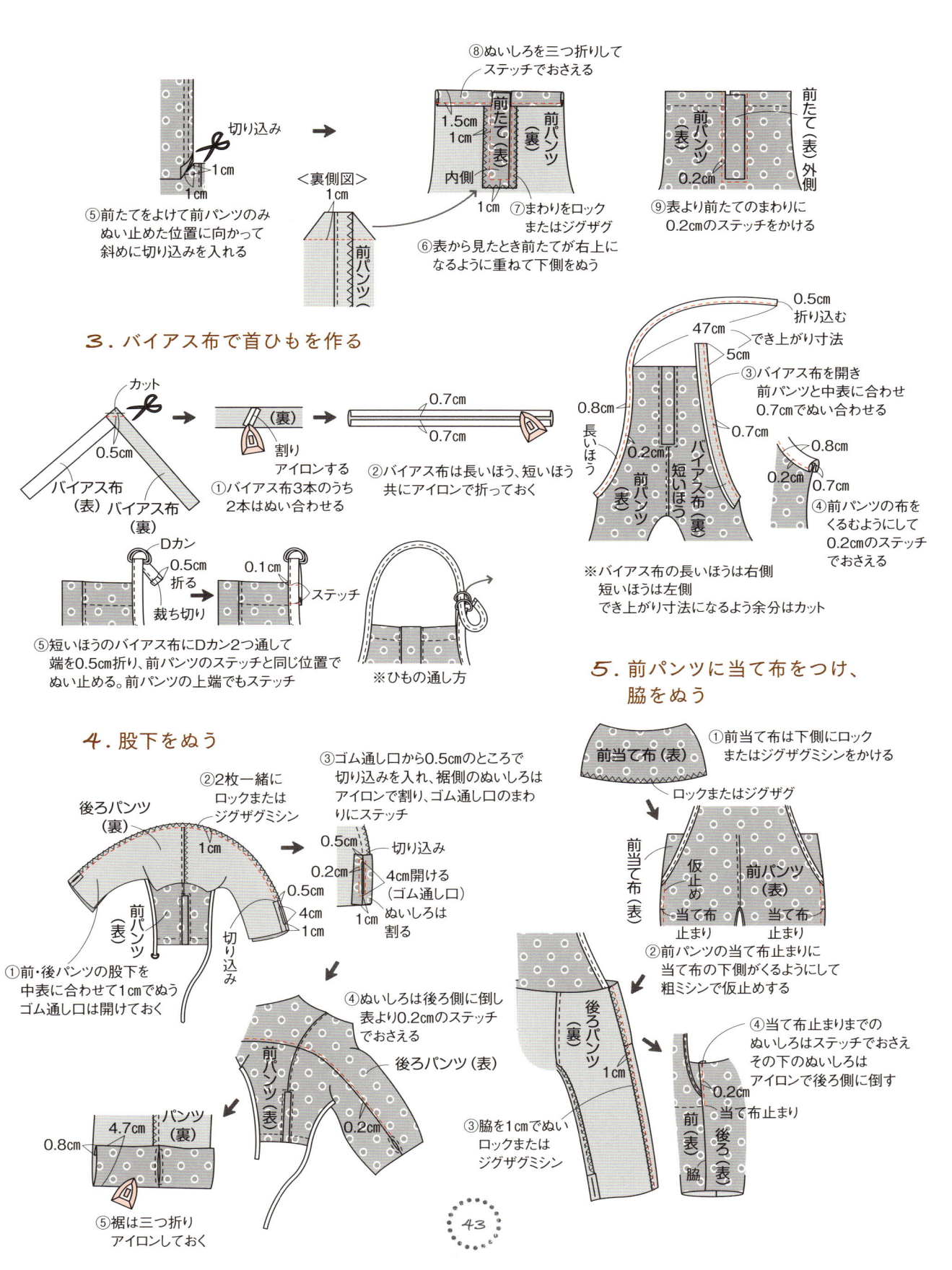

⑤前たてをよけて前パンツのみ
ぬい止めた位置に向かって
斜めに切り込みを入れる

⑧ぬいしろを三つ折りして
ステッチでおさえる

⑦まわりをロックまたはジグザグ

⑥表から見たとき前たてが右上になるように重ねて下側をぬう

⑨表より前たてのまわりに0.2cmのステッチをかける

3. バイアス布で首ひもを作る

①バイアス布3本のうち2本はぬい合わせる

②バイアス布は長いほう、短いほう共にアイロンで折っておく

③バイアス布を開き前パンツと中表に合わせ0.7cmでぬい合わせる

④前パンツの布をくるむようにして0.2cmのステッチでおさえる

※バイアス布の長いほうは右側
短いほうは左側
でき上がり寸法になるよう余分はカット

⑤短いほうのバイアス布にDカン2つ通して端を0.5cm折り、前パンツのステッチと同じ位置でぬい止める。前パンツの上端でもステッチ

※ひもの通し方

4. 股下をぬう

①前・後パンツの股下を中表に合わせて1cmでぬう
ゴム通し口は開けておく

②2枚一緒にロックまたはジグザグミシン

③ゴム通し口から0.5cmのところで切り込みを入れ、裾側のぬいしろはアイロンで割り、ゴム通し口のまわりにステッチ

4cm開ける（ゴム通し口）
ぬいしろは割る

④ぬいしろは後ろ側に倒し表より0.2cmのステッチでおさえる

⑤裾は三つ折りアイロンしておく

5. 前パンツに当て布をつけ、脇をぬう

①前当て布は下側にロックまたはジグザグミシンをかける

②前パンツの当て布止まりに当て布の下側がくるようにして粗ミシンで仮止めする

③脇を1cmでぬいロックまたはジグザグミシン

④当て布止まりまでのぬいしろはステッチでおさえるその下のぬいしろはアイロンで後ろ側に倒す

6. ベルトをつける
※p.35のタックパンツ5.を参照

7. 裾を始末する

①裾を上げ、図のようにステッチを入れる

前パンツ（裏）

0.2cm
4.5cm

②ゴムを通して1cm重ねてステッチで止める
※ゴムは片足に対し3本通す
1本の長さ
80cm…20cm、90cm…21cm

1cm

8. ボタンホールをあけ、ボタンをつける

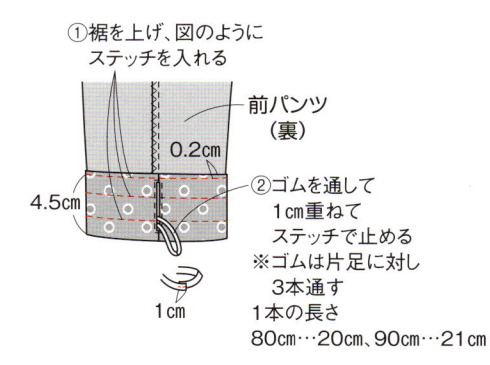

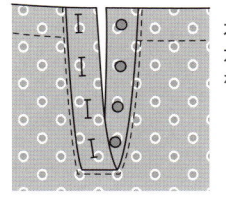

右側にホール
左側にボタン
をつける

h. スモックワンピース
photo … p.12

○ 材料 ※身長90cm用は（ ）内
表布 ………… 110cm幅×100cm（110cm）
ゴム ………… （6コール）120cm（130cm）

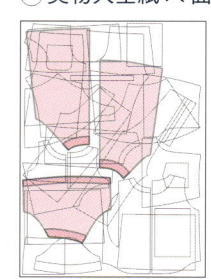

○ 実物大型紙 A面
・後ろ身頃
・後ろ見返し
・前身頃
・前見返し
・袖
・袖見返し
・袖口見返し

○ 裁ち方図（単位cm ※用尺は80／90サイズの順）
※ぬいしろは指定以外1cm

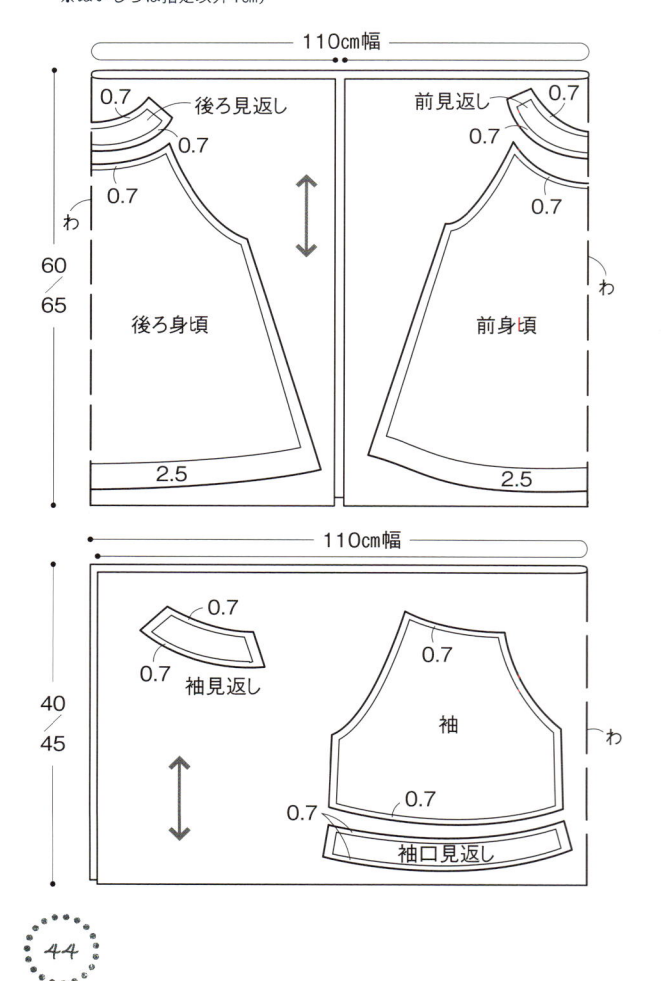

110cm幅

0.7 後ろ見返し 0.7
0.7
0.7

60/65

後ろ身頃　前身頃

わ

2.5　2.5

110cm幅

0.7 袖見返し
0.7

40/45

0.7 袖 0.7

わ

袖口見返し

How to make

1. 袖と身頃をぬい合わせる

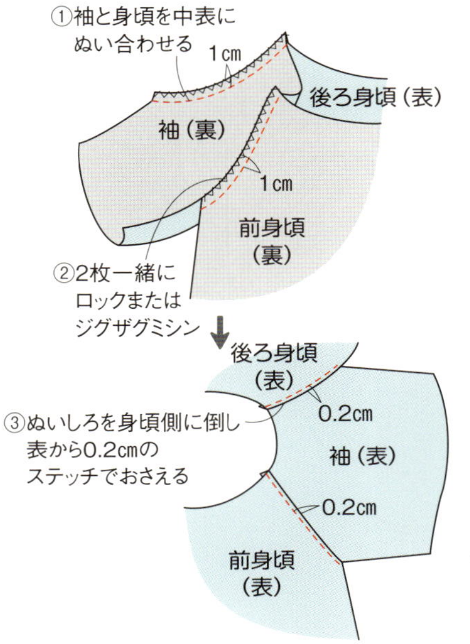

①袖と身頃を中表にぬい合わせる
1cm
後ろ身頃（表）
袖（裏）
1cm
前身頃（裏）

②2枚一緒にロックまたはジグザグミシン

③ぬいしろを身頃側に倒し表から0.2cmのステッチでおさえる
後ろ身頃（表）
0.2cm
袖（表）
0.2cm
前身頃（表）

2. 衿ぐりに見返しをつける

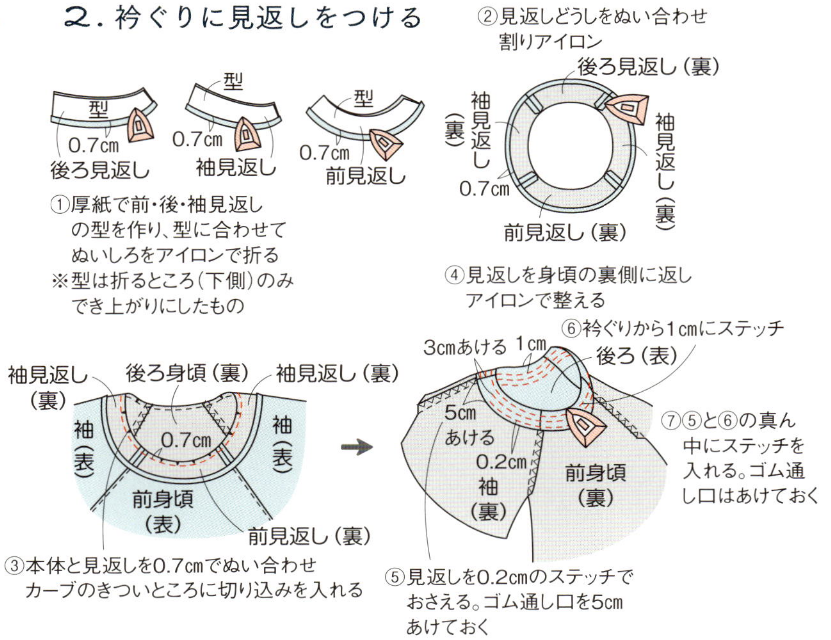

①厚紙で前・後・袖見返しの型を作り、型に合わせてぬいしろをアイロンで折る
※型は折るところ（下側）のみでき上がりにしたもの
型 0.7cm 後ろ見返し
型 0.7cm 袖見返し
型 0.7cm 前見返し

②見返しどうしをぬい合わせ割りアイロン
後ろ見返し（裏）
袖見返し（裏）
0.7cm
前見返し（裏）

③本体と見返しを0.7cmでぬい合わせカーブのきついところに切り込みを入れる
袖見返し（裏）
後ろ身頃（裏）
袖見返し（裏）
0.7cm
袖（表）
袖（表）
前身頃（表）
前見返し（裏）

④見返しを身頃の裏側に返しアイロンで整える

⑤見返しを0.2cmのステッチでおさえる。ゴム通し口を5cmあけておく
3cmあける 1cm 後ろ（表）
5cmあける
0.2cm
袖（裏）
前身頃（裏）

⑥衿ぐりから1cmにステッチ

⑦⑤と⑥の真ん中にステッチを入れる。ゴム通し口はあけておく

3. 袖下から脇をぬい、裾を上げる

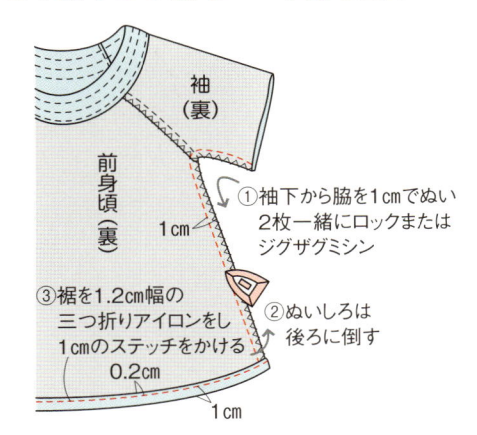

①袖下から脇を1cmでぬい2枚一緒にロックまたはジグザグミシン
袖（裏）
前身頃（裏）
1cm

②ぬいしろは後ろに倒す

③裾を1.2cm幅の三つ折りアイロンをし1cmのステッチをかける
0.2cm
1cm

4. 袖口に見返しをつける

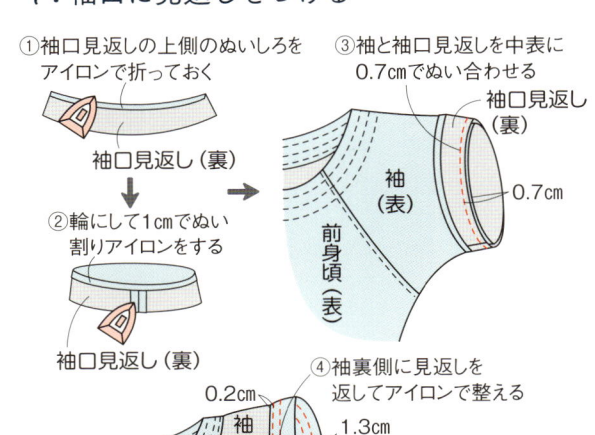

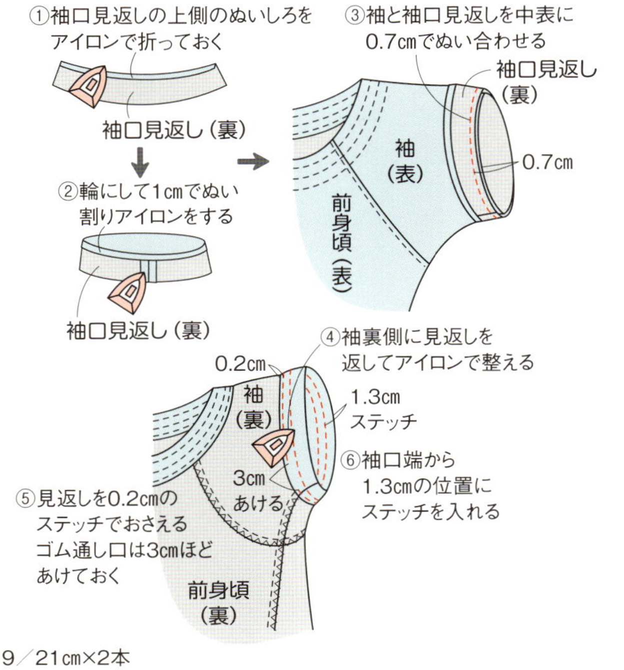

①袖口見返しの上側のぬいしろをアイロンで折っておく
袖口見返し（裏）

②輪にして1cmでぬい割りアイロンをする
袖口見返し（裏）

③袖と袖口見返しを中表に0.7cmでぬい合わせる
袖口見返し（裏）
袖（表）
0.7cm
前身頃（表）

④袖裏側に見返しを返してアイロンで整える
0.2cm
袖（裏）
1.3cm ステッチ
3cmあける
前身頃（裏）

⑤見返しを0.2cmのステッチでおさえる ゴム通し口は3cmほどあけておく

⑥袖口端から1.3cmの位置にステッチを入れる

5. 衿ぐり、袖口にゴムを通す

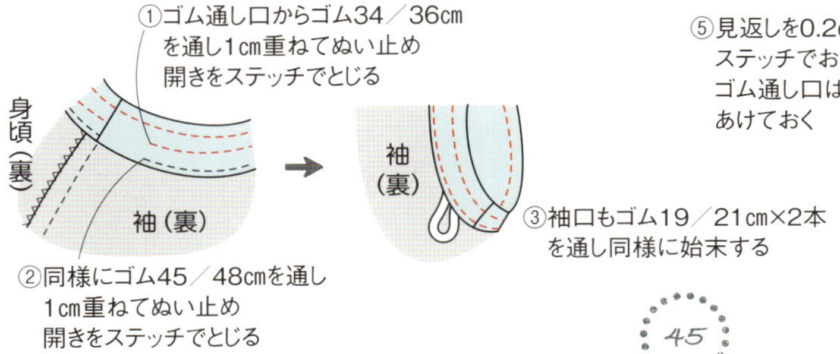

①ゴム通し口からゴム34／36cmを通し1cm重ねてぬい止め開きをステッチでとじる
身頃（裏）
袖（裏）

②同様にゴム45／48cmを通し1cm重ねてぬい止め開きをステッチでとじる

③袖口もゴム19／21cm×2本を通し同様に始末する
袖（裏）

i. ゆったりパンツ
photo … p.13

○ 材料 ※身長90cm用は( )内
- 表布 ………… 145cm幅×80cm
  (80、90共通)
- 別布 ………… 縦20×幅35cm
  (80、90共通)
  (110cm幅も用尺は同じ)
- 伸び止めテープ‥ハーフバイアス
  1.2cm幅　30cm（80、90共通）
- ゴム ………… 15mm幅　42cm（44cm）
- ゴム ………… 35mm幅　42cm（44cm）

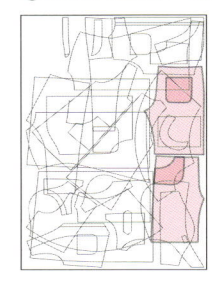

○ 実物大型紙 B 面
- 前パンツ
- 後ろパンツ
- 外袋布
- 内袋布
- ポケット
※ベルトは製図

○ 裁ち方図（単位cm　※ぬいしろは指定以外1cm　※ベルトはぬいしろ込み）

<表布>
145cm幅 / 80 / 7 / 64.5 / 68.5 / ベルト / 前パンツ / 5 / 外袋布 0.5 / 3 / 後ろ右ポケット（1枚）/ 後ろパンツ / 5 / わ

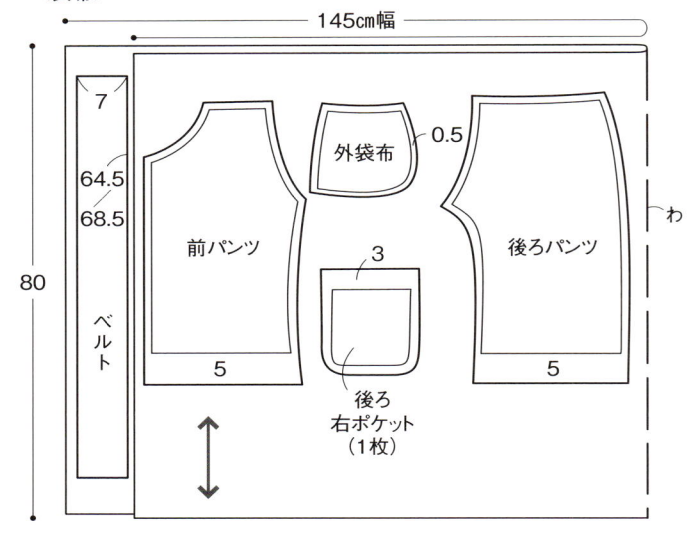

※110cm幅の場合は、ベルトの裁ち方は同じ、前パンツ、後ろパンツを横に並べて、外袋布、ポケットは両パンツの下のあいているところに並べます。

<別布>
35cm幅 / 20 / 内袋布 / 0.5 / わ

How to make

1. 前ポケットを作る

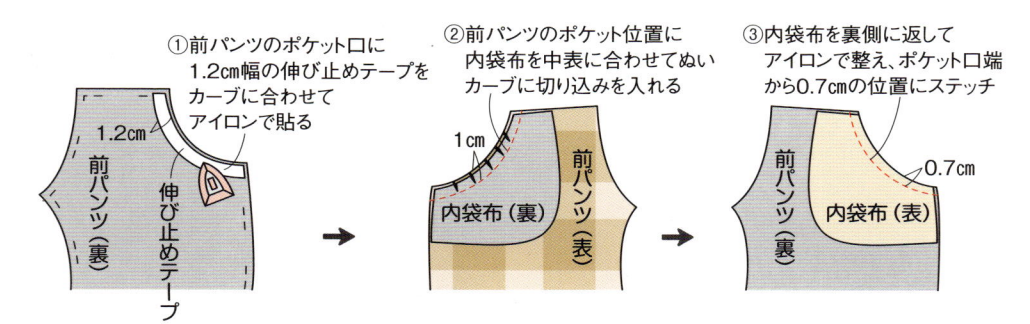

①前パンツのポケット口に1.2cm幅の伸び止めテープをカーブに合わせてアイロンで貼る

②前パンツのポケット位置に内袋布を中表に合わせてぬいカーブに切り込みを入れる

③内袋布を裏側に返してアイロンで整え、ポケット口端から0.7cmの位置にステッチ

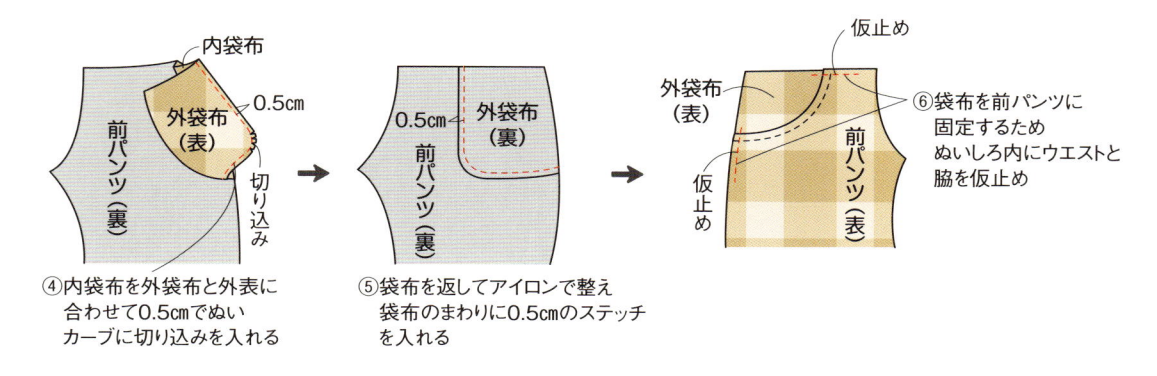

④内袋布を外袋布と外表に合わせて0.5cmでぬいカーブに切り込みを入れる

⑤袋布を返してアイロンで整え袋布のまわりに0.5cmのステッチを入れる

⑥袋布を前パンツに固定するためぬいしろ内にウエストと脇を仮止め

２．後ろポケットをつける
※p.34のタックパンツ2.を参照

３．脇をぬう

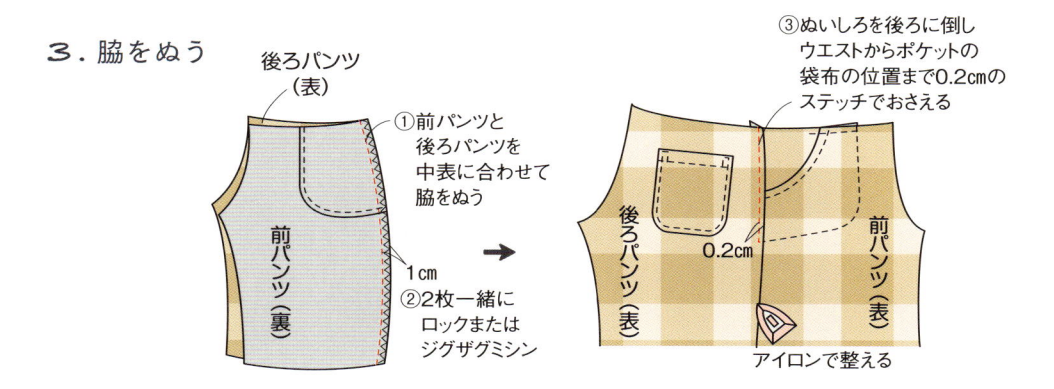

①前パンツと後ろパンツを中表に合わせて脇をぬう

②2枚一緒にロックまたはジグザグミシン

③ぬいしろを後ろに倒しウエストからポケットの袋布の位置まで0.2cmのステッチでおさえる

アイロンで整える

４．股下をぬう

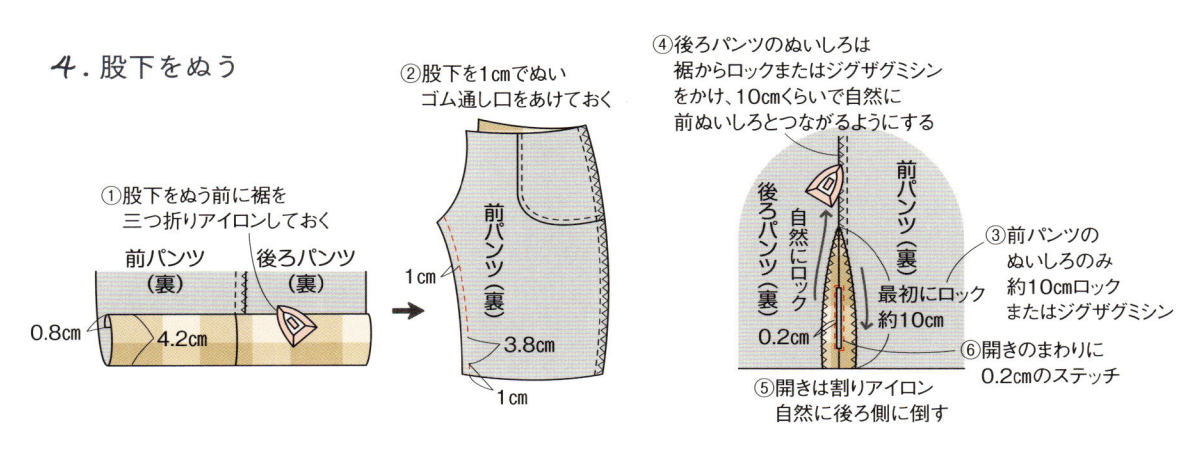

①股下をぬう前に裾を三つ折りアイロンしておく

②股下を1cmでぬいゴム通し口をあけておく

③前パンツのぬいしろのみ約10cmロックまたはジグザグミシン

④後ろパンツのぬいしろは裾からロックまたはジグザグミシンをかけ、10cmくらいで自然に前ぬいしろとつながるようにする

⑤開きは割りアイロン自然に後ろ側に倒す

⑥開きのまわりに0.2cmのステッチ

５．股上をぬう
※p.35のタックパンツ4.を参照

６．ベルトをつける
※p.35のタックパンツ5.を参照

７．裾を上げ、ゴムを通す

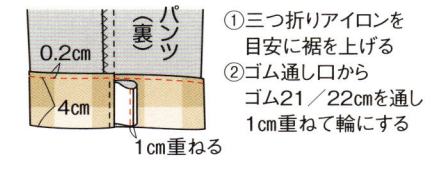

①三つ折りアイロンを目安に裾を上げる

②ゴム通し口からゴム21／22cmを通し1cm重ねて輪にする

j. ギャザーワンピース
photo … p.14

○ 材料 ※身長80cm、90cm共通
表布………… 110cm幅×110cm
ボタン……… 15mm 1個

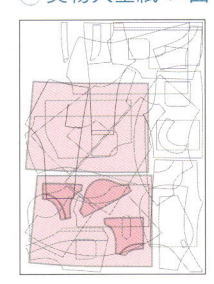

○ 実物大型紙 B面
・前スカート
・後ろスカート
・後ろ身頃
・前身頃
・後ろ見返し
・前見返し
・袖
※ループは製図

○ 裁ち方図（単位cm ※ぬいしろは指定以外1cm）

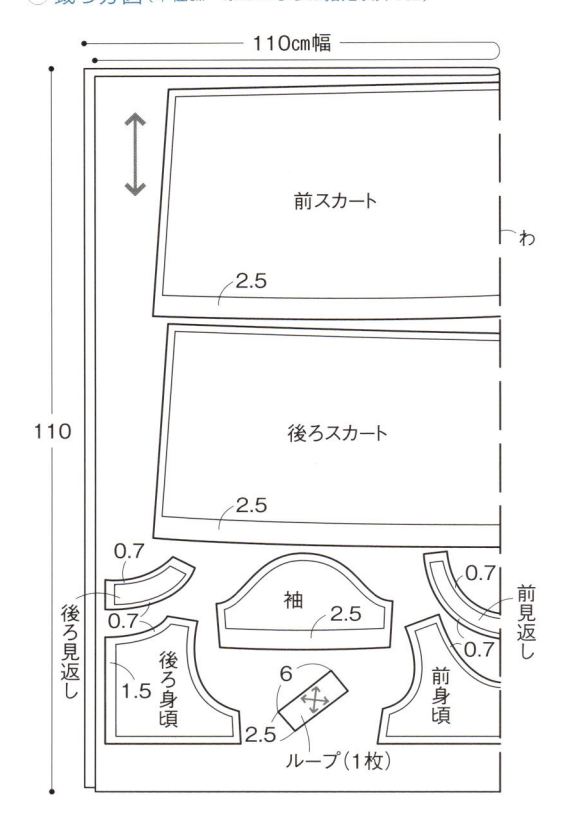

110cm幅 / 110

- 前スカート 2.5 わ
- 後ろスカート 2.5
- 後ろ見返し 0.7 / 0.7
- 前見返し 0.7 / 0.7
- 後ろ身頃 1.5 / 2.5
- 袖 2.5
- 前身頃
- ループ（1枚） 6

How to make

1. 後ろ身頃の中心をぬう

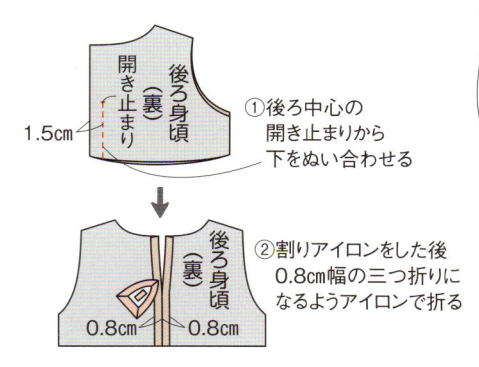

1.5cm　開き止まり

① 後ろ中心の開き止まりから下をぬい合わせる

② 割りアイロンをした後0.8cm幅の三つ折りになるようアイロンで折る

0.8cm / 0.8cm

2. 肩をぬい合わせ見返しをつける

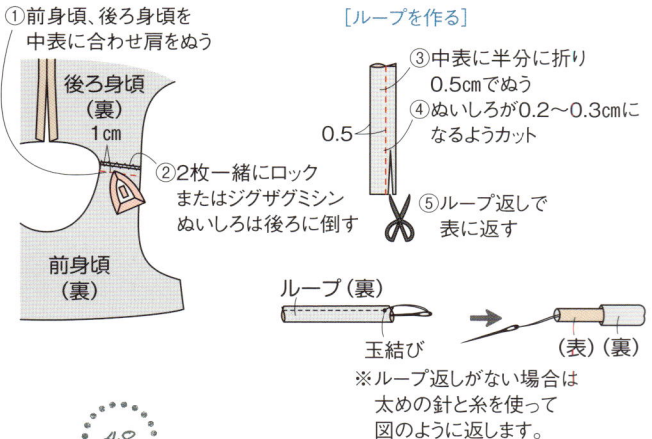

① 前身頃、後ろ身頃を中表に合わせ肩をぬう

1cm

② 2枚一緒にロックまたはジグザグミシンぬいしろは後ろに倒す

[ループを作る]

③ 中表に半分に折り0.5cmでぬう

0.5

④ ぬいしろが0.2～0.3cmになるようカット

⑤ ループ返しで表に返す

ループ（裏）　玉結び　（表）（裏）

※ループ返しがない場合は太めの針と糸を使って図のように返します。

[見返しを作る]

⑥厚紙で前・後見返しの型を作り型に合わせてぬいしろをアイロンで折る

※型は折るところ（下側）のみでき上がりにしたものを使用

⑦見返しの肩を中表に合わせぬう ぬいしろは割る

⑧ループを後ろ身頃の右側に仮止めする

※長さが余分な場合はカット

⑨見返しを衿ぐりとぬい合わせ 見返しのぬいしろのみ0.7cmにカット。角は切り落とし、カーブに切り込みを入れる

⑩見返しを表に返しアイロンで整え0.2cmのステッチでおさえる

⑪後ろ中心の三つ折りしたぬいしろは0.7cmのステッチでおさえる 最後に開き止まりに返しぬいのステッチを入れる

3. 身頃の脇をぬう

①身頃の両脇をぬう

②2枚一緒にロックまたはジグザグミシン ぬいしろは後ろに倒す

4. スカートの脇をぬい、裾を上げる

①前・後スカートを中表に合わせ両脇をぬう

②2枚一緒にロックまたはジグザグミシン ぬいしろは後ろに倒す

③裾は1.2cm幅の三つ折りアイロンをして1cmのステッチをかける

5. 身頃にスカートをぬい合わせる

①0.5cmと0.7cmの位置に4回に分けて粗ミシンをかける

ギャザー止まり／糸を残す／後ろ中心／前中心／ギャザー止まり

0.5cm返しぬい　0.7cm粗ミシン　返しぬい　糸を伸ばしてカット

前中心で糸を伸ばしてカット

②身頃に合うように、それぞれ伸ばしておいた糸を引きギャザーを寄せる

③身頃とスカートの前・後中心と脇を合わせてギャザーが均一になるようにぬう

④ぬいしろを2枚一緒にロックまたはジグザグミシン

⑤ぬいしろを身頃側に倒して0.5cmのステッチでおさえる

6. 袖をつける

①袖口をアイロンで三つ折りしておく

③袖山に0.5cmと0.7cmの粗ミシンをかけ、軽くいせる

②中表にぬい、ぬいしろは2枚一緒にロックまたはジグザグミシンをかけ後ろに倒す

④袖口に1cmのステッチをかける

⑤袖と身頃を中表に合わせぬい合わせる 2枚一緒にロックまたはジグザグミシン

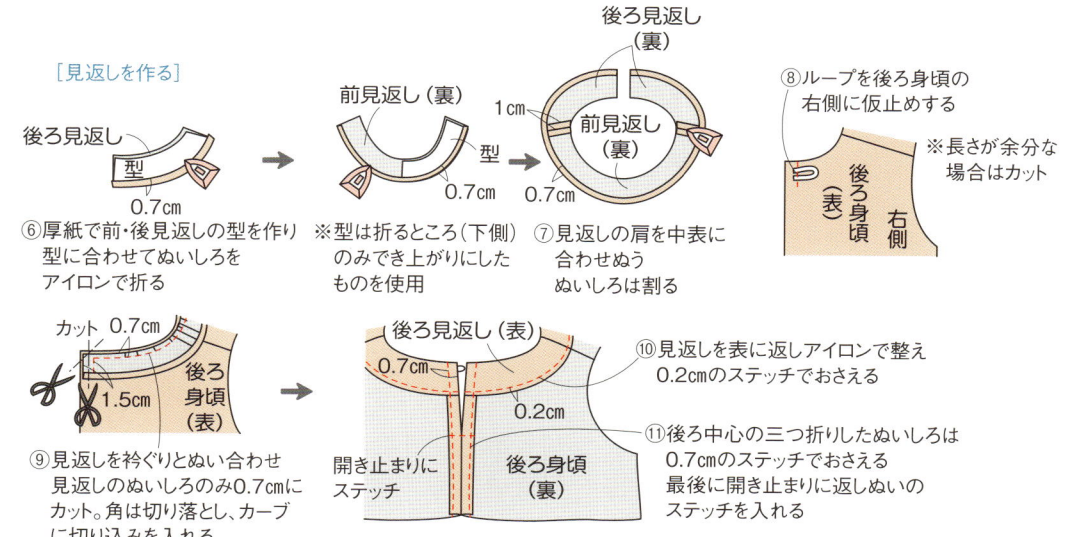

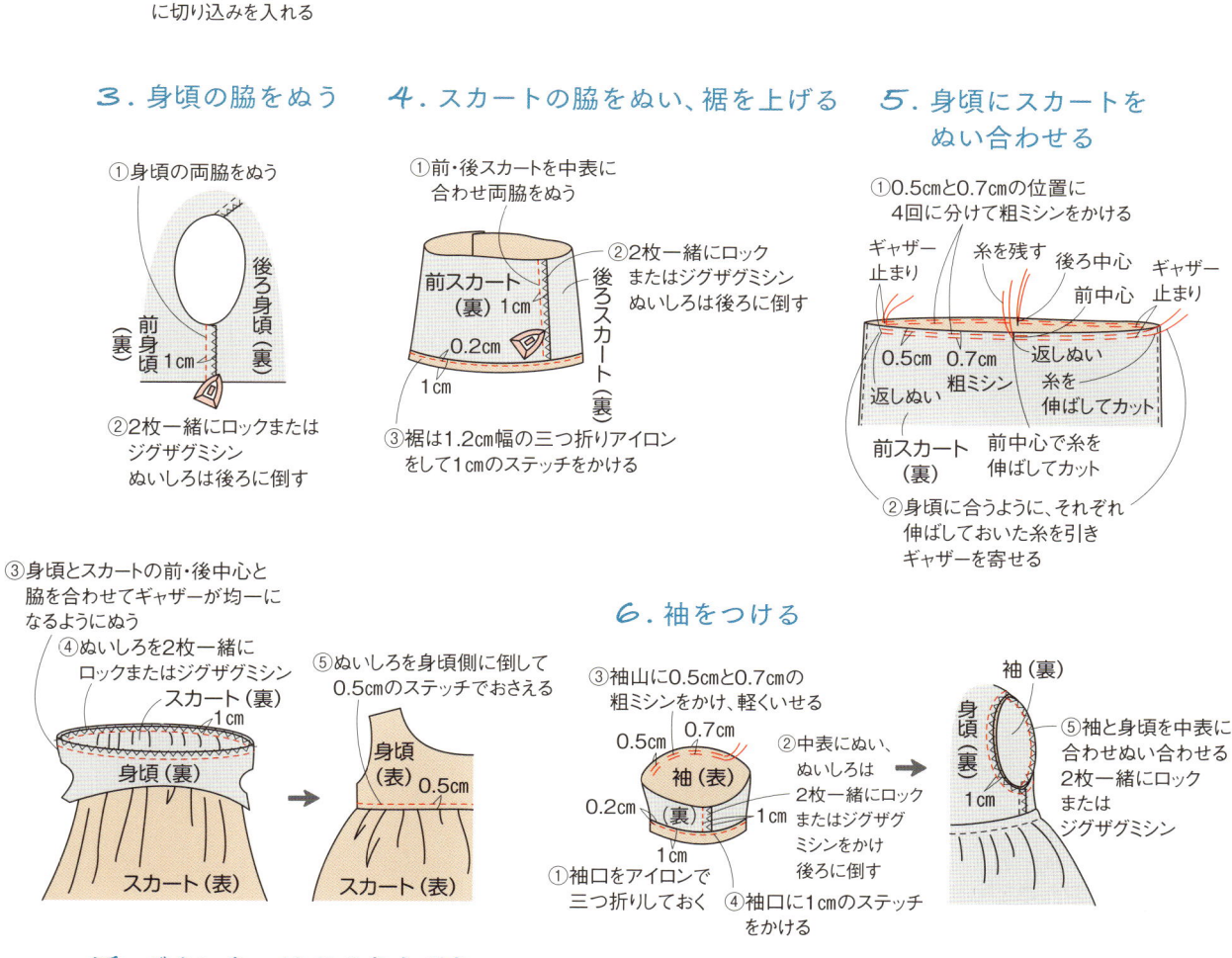

7. ボタンをつけてでき上がり

k. 衿つきゆったりワンピース
photo … p.15

○ 材料 ※身長90cm用は（）内
表布・・・・・・・・・ 110cm幅×80（90cm）
接着芯・・・・・・・・ 縦20×横30cm
　　　　　　　　　（80、90cm共通）
ボタン・・・・・・・・ 直径11.5mm　1個

○ 実物大型紙 B 面
- 後ろ身頃
- 前身頃
- 衿
- ポケット
※ループは製図

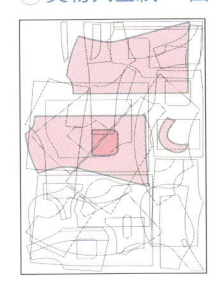

○ 裁ち方図（単位cm　※用尺は80/90サイズの順　※ぬいしろは指定以外1cm）

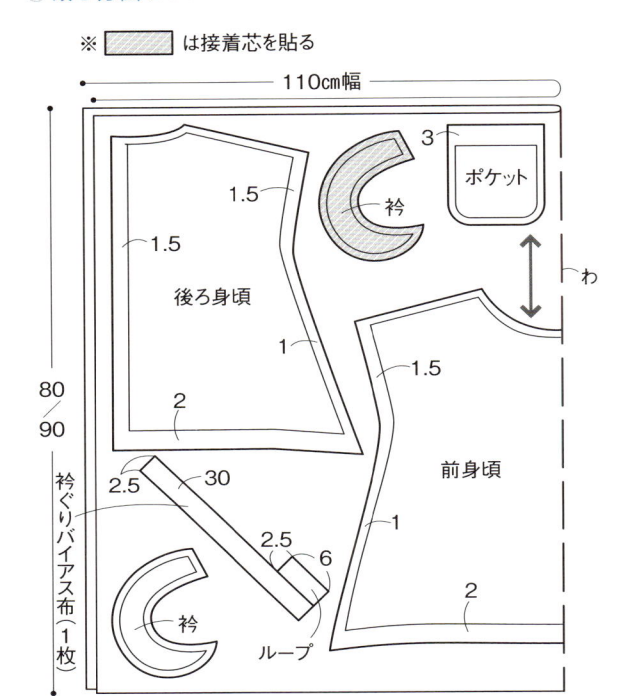

※ ▨ は接着芯を貼る

How to make

1. 後ろ身頃の中心をぬう

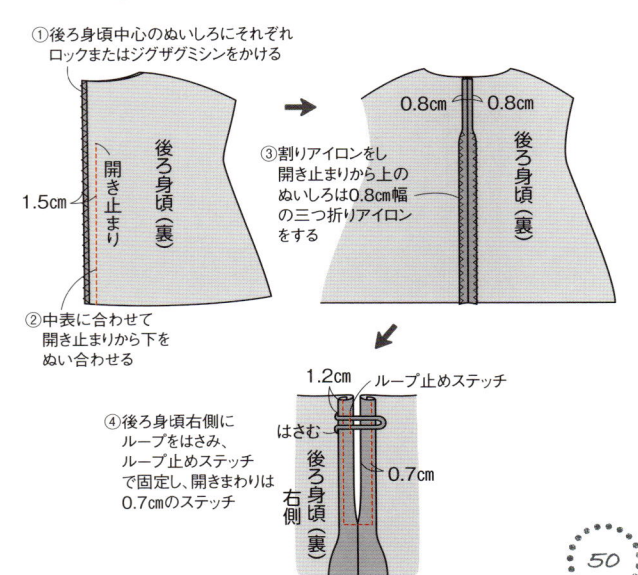

①後ろ身頃中心のぬいしろにそれぞれロックまたはジグザグミシンをかける

②中表に合わせて開き止まりから下をぬい合わせる

③割りアイロンをし開き止まりから上のぬいしろは0.8cm幅の三つ折りアイロンをする

④後ろ身頃右側にループをはさみ、ループ止めステッチで固定し、開きまわりは0.7cmのステッチ

2. 前身頃にポケットをつける

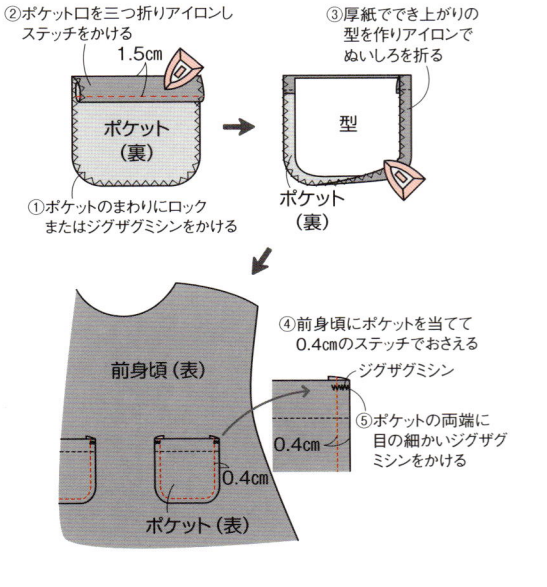

①ポケットのまわりにロックまたはジグザグミシンをかける

②ポケット口を三つ折りアイロンしステッチをかける

③厚紙ででき上がりの型を作りアイロンでぬいしろを折る

④前身頃にポケットを当てて0.4cmのステッチでおさえる

⑤ポケットの両端に目の細かいジグザグミシンをかける

３. 裾を上げ、肩と脇をぬう

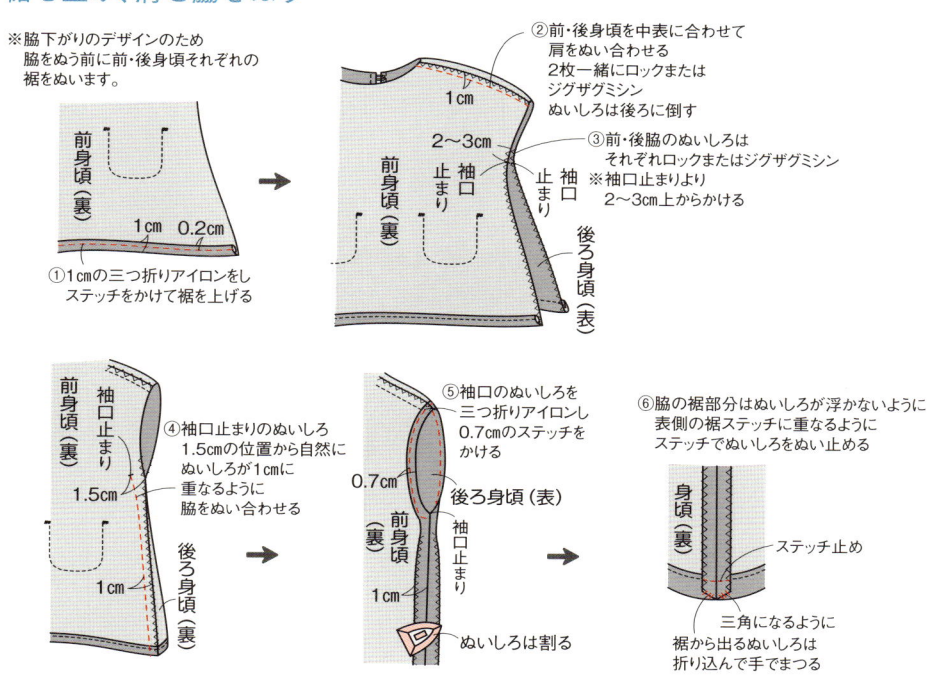

※脇下がりのデザインのため脇をぬう前に前・後身頃それぞれの裾をぬいます。

①1cmの三つ折りアイロンをしステッチをかけて裾を上げる

②前・後身頃を中表に合わせて肩をぬい合わせる
2枚一緒にロックまたはジグザグミシン
ぬいしろは後ろに倒す

③前・後脇のぬいしろはそれぞれロックまたはジグザグミシン
※袖口止まりより2～3cm上からかける

④袖口止まりのぬいしろ1.5cmの位置から自然にぬいしろが1cmに重なるように脇をぬい合わせる

⑤袖口のぬいしろを三つ折りアイロンし0.7cmのステッチをかける
ぬいしろは割る

⑥脇の裾部分はぬいしろが浮かないように表側の裾ステッチに重なるようにステッチでぬいしろをぬい止める
ステッチ止め
三角になるように裾から出るぬいしろは折り込んで手でまつる

４. 衿をつける

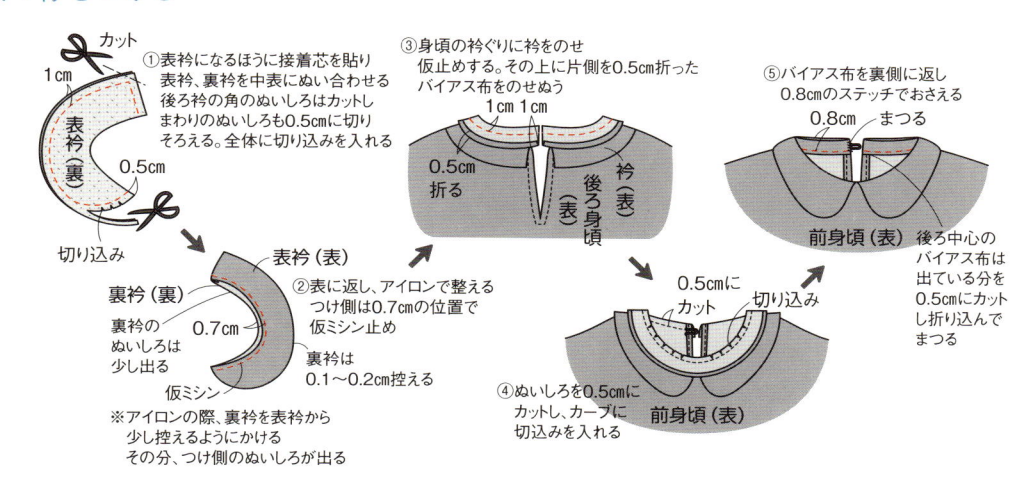

①表衿になるほうに接着芯を貼り表衿、裏衿を中表にぬい合わせる
後ろ衿の角のぬいしろはカットしまわりのぬいしろも0.5cmに切りそろえる。全体に切り込みを入れる

②表に返し、アイロンで整えるつけ側は0.7cmの位置で仮ミシン止め
裏衿は0.1～0.2cm控える
裏衿のぬいしろは少し出る
※アイロンの際、裏衿を表衿から少し控えるようにかけるその分、つけ側のぬいしろが出る

③身頃の衿ぐりに衿をのせ仮止めする。その上に片側を0.5cm折ったバイアス布をのせぬう

④ぬいしろを0.5cmにカットし、カーブに切込みを入れる

⑤バイアス布を裏側に返し0.8cmのステッチでおさえる
まつる
後ろ中心のバイアス布は出ている分を0.5cmにカットし折り込んでまつる

５. ボタンをつける

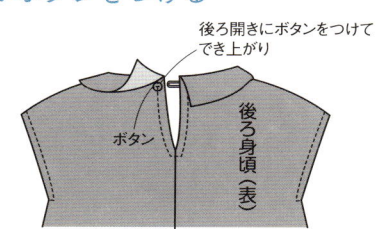

後ろ開きにボタンをつけてでき上がり

l. キュロットスカート
photo … p.16

◯ 材料 ※身長90cm用は（ ）内
表布・・・・・・・・・・ 118cm幅×120cm（130cm）
ゴム・・・・・・・・・・ 15mm幅　42cm（44cm）
ボタン・・・・・・・・ 直径15mm　1個

◯ 実物大型紙 B面

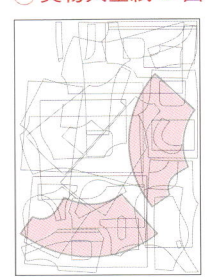

- 前
- 後ろ
※ベルトは製図

◯ 裁ち方図（単位cm　※ぬいしろは指定以外1cm　※ベルトはぬいしろ込み）

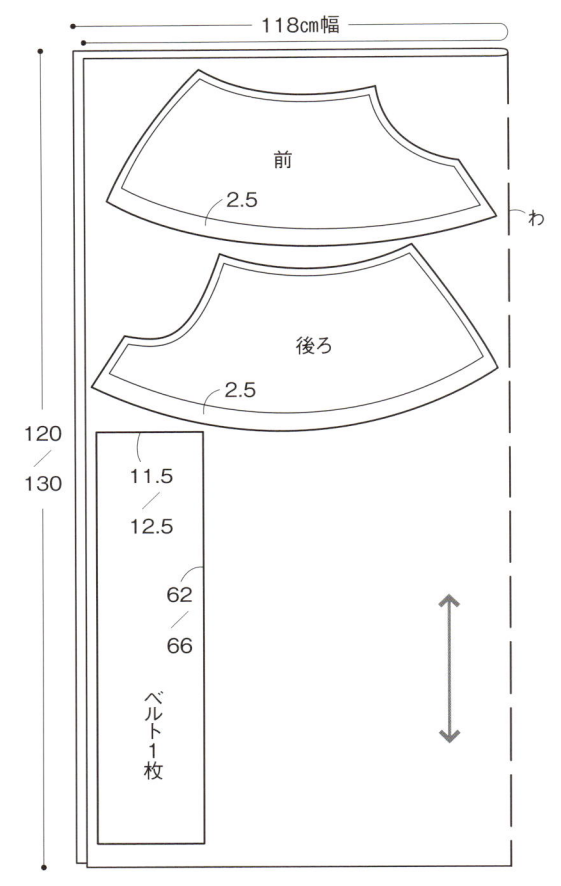

118cm幅

前　2.5

後ろ　2.5

わ

120/130

11.5
12.5
62
66
ベルト1枚

※90cmサイズを作る際には必ず生地幅は118cm以上のものを使用してください。　※ベルトを横地で裁断してもOKです。その際は生地用尺は80cm（共通）。

How to make

1. 脇と股下をぬう

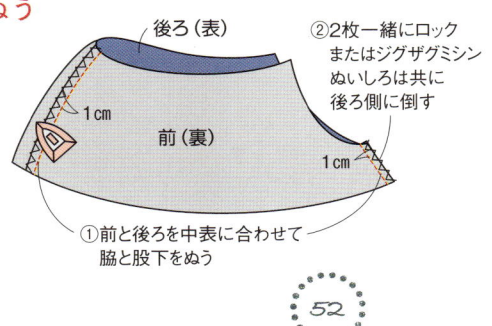

後ろ（表）
前（裏）
1cm
1cm

①前と後ろを中表に合わせて脇と股下をぬう

②2枚一緒にロックまたはジグザグミシン　ぬいしろは共に後ろ側に倒す

2. 股上をぬう

①股上を中表に合わせてぬう
2枚一緒にロックまたは
ジグザグミシンをかける

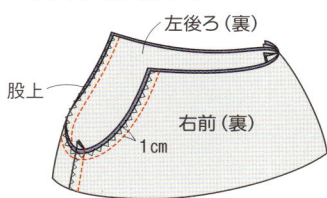

股上　左後ろ（裏）　右前（裏）　1cm

②股上のぬいしろを右側に倒し
表から0.2cmのステッチでおさえる

右前（表）　左前（表）　0.2cm　前（裏）　後ろ（裏）　右後ろ（表）　左後ろ（表）

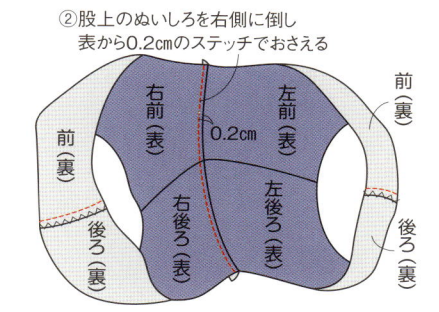

3. ベルトをつけて、裾を上げる

①アイロンでベルトの
でき上がり幅に折っておく

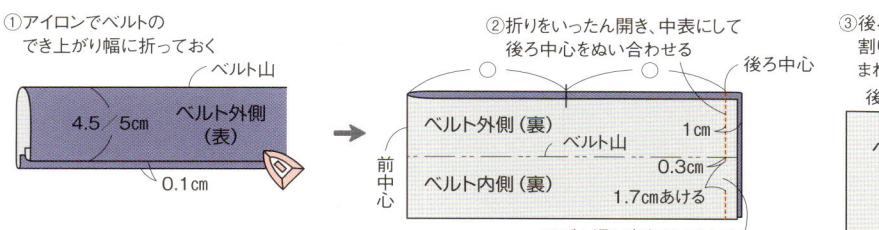

ベルト山　ベルト外側（表）　4.5/5cm　0.1cm

②折りをいったん開き、中表にして
後ろ中心をぬい合わせる

前中心　ベルト外側（裏）　ベルト山　ベルト内側（裏）　後ろ中心　1cm　0.3cm　1.7cmあける

※ゴム通し穴をあけるため
ベルト山から0.3cm下がった
位置でぬい止め（返しぬい）
1.7cmあけてぬう

③後ろ中心のぬいしろを
割りアイロンし、ゴム通し穴の
まわりにステッチ

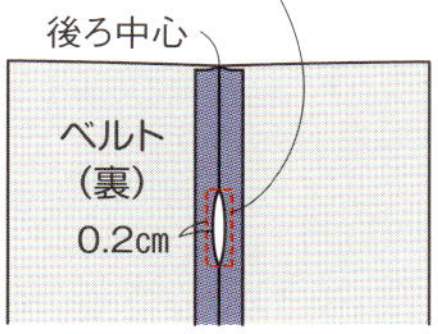

後ろ中心　ベルト（裏）　0.2cm

④ウエスト部分に前・後中心、両脇を
目安に4分割で粗ミシンをかけ
糸を引いてギャザーを寄せる

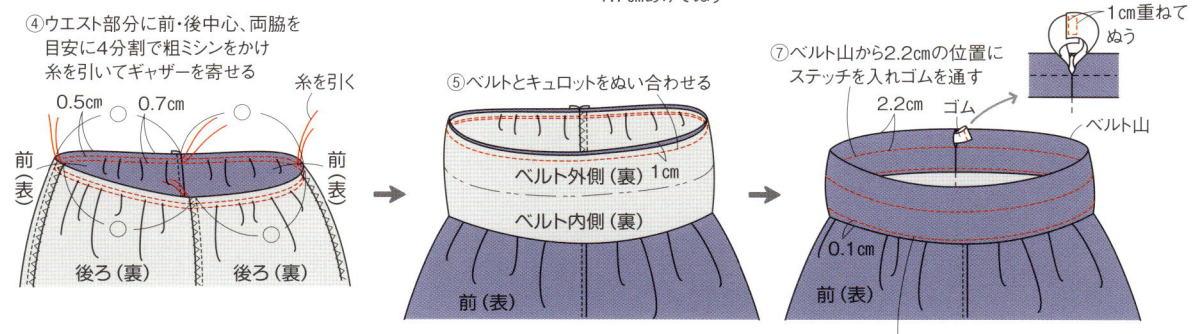

0.5cm　0.7cm　糸を引く　前（表）　前（表）　後ろ（裏）　後ろ（裏）

⑤ベルトとキュロットをぬい合わせる

ベルト外側（裏）　1cm　ベルト内側（裏）　前（表）

⑦ベルト山から2.2cmの位置に
ステッチを入れゴムを通す

1cm重ねてぬう　ベルト山　2.2cm　ゴム　0.1cm　前（表）

⑥ベルトの形を整えて前後・両脇など
まち針でとめ0.1cmのステッチでおさえる

キュロット（表）　（裏）　0.2cm　1cm

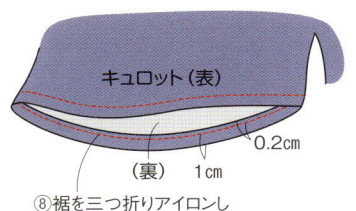

⑧裾を三つ折りアイロンし
ステッチをかける

4. ボタンをつける

着るときに前の位置が分かりやすい
ように飾りボタンをつける

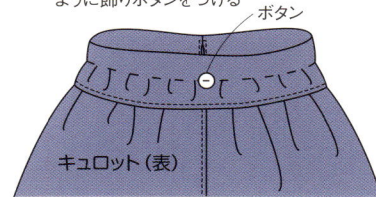

ボタン　キュロット（表）

n. ラウンドカラーシャツ
photo … p.18

○ 材料 ※身長80㎝、90㎝共通

表布 ……… 115㎝幅×80㎝
接着芯 …… 縦40㎝×横30㎝
ボタン …… 直径10㎜ 1個
　　　　　　直径11.5㎜ 5個

○ 実物大型紙 B面

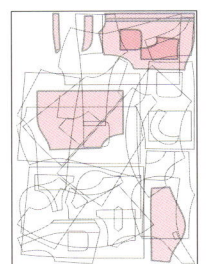

- 前身頃
- 後ろ身頃
- 前たて
- 袖
- ヨーク
- 上衿
- 台衿
- ポケット

○ 裁ち方図（単位㎝　※ぬいしろは指定以外1㎝）

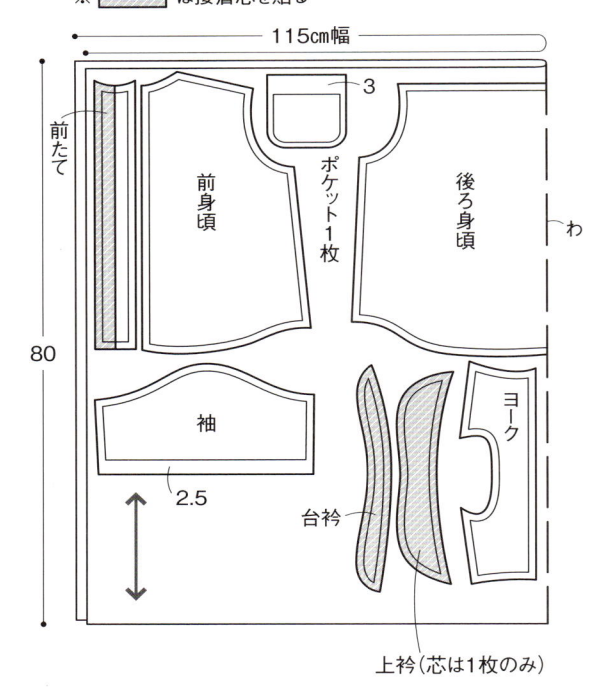

※ は接着芯を貼る

115㎝幅 / 80

- 前たて
- 前身頃
- ポケット1枚
- 後ろ身頃
- わ
- 袖　2.5
- 台衿
- ヨーク
- 上衿（芯は1枚のみ）

How to make

1. 左前身頃にポケットをつける

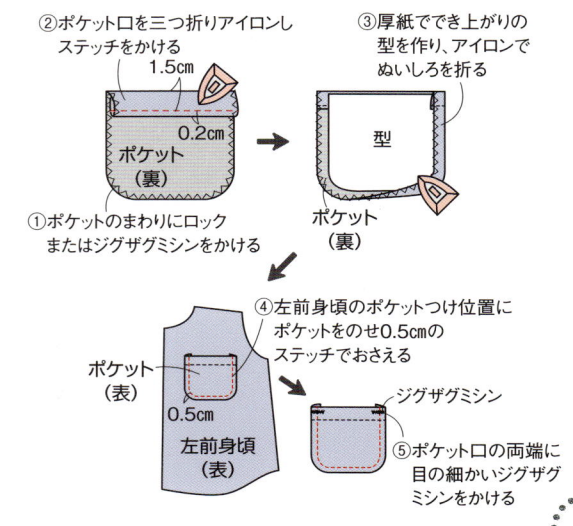

②ポケット口を三つ折りアイロンし ステッチをかける
1.5㎝
0.2㎝
ポケット（裏）

①ポケットのまわりにロックまたはジグザグミシンをかける

③厚紙ででき上がりの型を作り、アイロンでぬいしろを折る
型
ポケット（裏）

④左前身頃のポケットつけ位置にポケットをのせ0.5㎝のステッチでおさえる
ポケット（表）
0.5㎝
左前身頃（表）

⑤ポケット口の両端に目の細かいジグザグミシンをかける
ジグザグミシン

2. ヨークをつける

①後ろ中心のタックをたたみ仮止めする
0.7㎝
仮止め
後ろ身頃（表）

②後ろ身頃を�ークではさみ3枚一緒にぬう
1㎝
ヨーク（裏）外側
後ろ身頃（表）

③ヨークの衿ぐりから、ぬいしろを引っぱり出すようにして前身頃をはさみ、3枚一緒にぬう
前身頃（表）
0.5㎝
ヨーク内側（裏）
1㎝
前身頃（表）

④身頃をはさんだ位置のヨーク側にステッチをかける
ヨーク外側（表）
後ろ身頃（表）

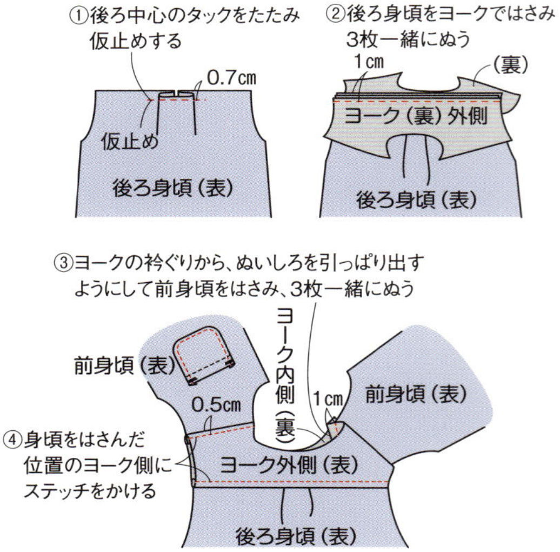

3. 袖をつける

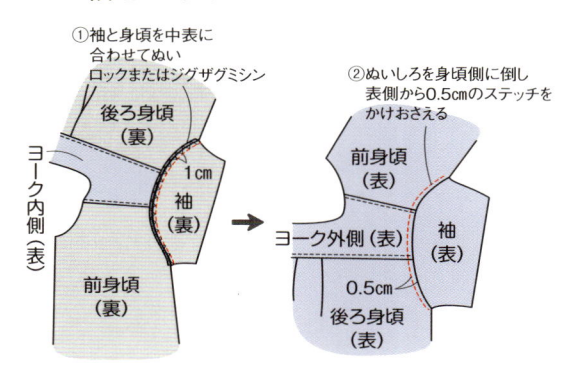

①袖と身頃を中表に合わせてぬう
ロックまたはジグザグミシン

- ヨーク内側（表）
- 後ろ身頃（裏）
- 袖（裏）
- 前身頃（裏）
- 1cm

②ぬいしろを身頃側に倒し表側から0.5cmのステッチをかけおさえる

- ヨーク外側（表）
- 袖（表）
- 前身頃（表）
- 後ろ身頃（表）
- 0.5cm

4. 袖下から脇までぬい、袖上げ、裾上げをする

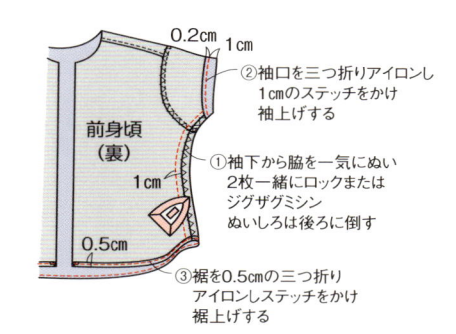

- 前身頃（裏）
- 0.2cm　1cm
- 1cm
- 0.5cm

②袖口を三つ折りアイロンし1cmのステッチをかけ袖上げする

①袖下から脇を一気にぬう2枚一緒にロックまたはジグザグミシン
ぬいしろは後ろに倒す

③裾を0.5cmの三つ折りアイロンしステッチをかけ裾上げする

5. 前たてをつける

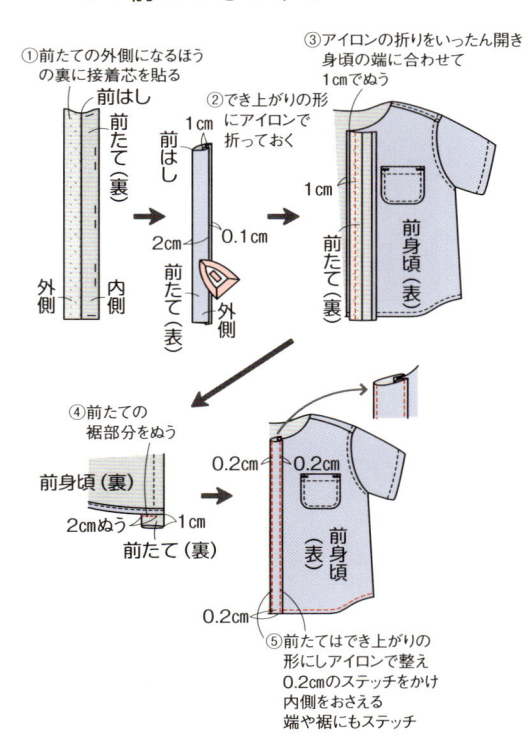

①前たての外側になるほうの裏に接着芯を貼る

- 前たて（裏）
- 前はし
- 外側　内側

②でき上がりの形にアイロンで折っておく

- 前はし
- 1cm
- 2cm
- 0.1cm
- 前たて（表）
- 外側

③アイロンの折りをいったん開き身頃の端に合わせて1cmでぬう

- 1cm
- 前たて（裏）
- 前身頃（裏）

④前たての裾部分をぬう

- 前身頃（裏）
- 2cmぬう
- 1cm
- 前たて（裏）

- 0.2cm　0.2cm
- 前身頃（表）
- 0.2cm

⑤前たてはでき上がりの形にアイロンで整え0.2cmのステッチをかけ内側をおさえる端や裾にもステッチ

6. 衿を作り、身頃につける

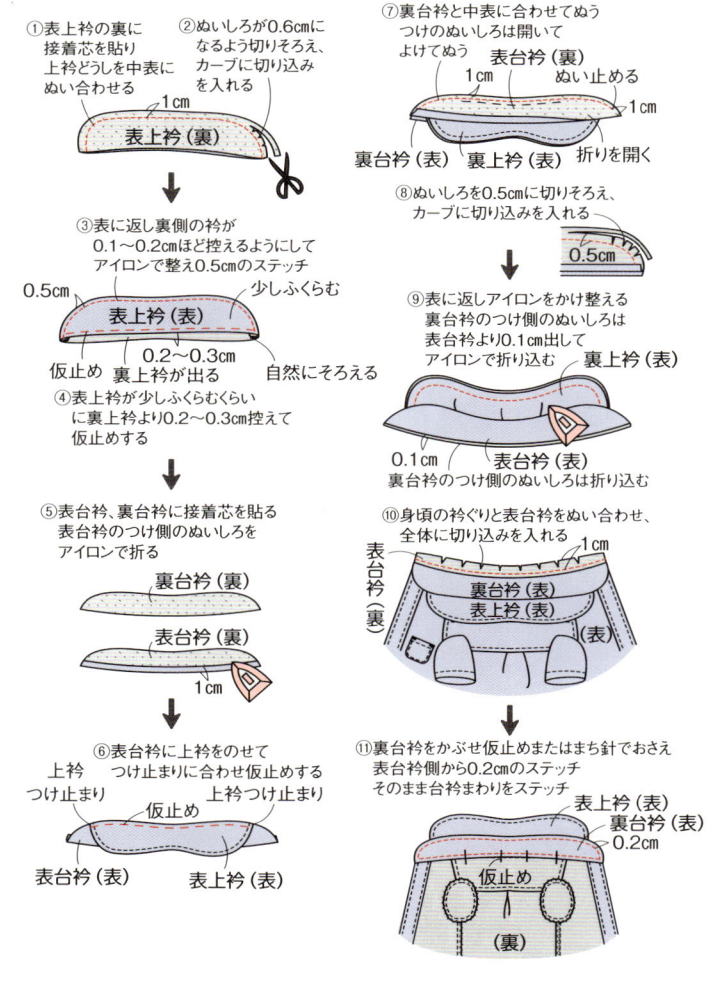

①表上衿の裏に接着芯を貼り上衿どうしを中表にぬい合わせる

- 表上衿（裏）
- 1cm

②ぬいしろが0.6cmになるよう切りそろえ、カーブに切り込みを入れる

③表に返し裏側の衿が0.1～0.2cmほど控えるようにしてアイロンで整え0.5cmのステッチ

- 0.5cm
- 表上衿（表）
- 0.2～0.3cm
- 仮止め　裏上衿が出る　少しふくらむ　自然にそろえる

④表上衿が少しふくらむくらいに裏上衿より0.2～0.3cm控えて仮止めする

⑤表台衿、裏台衿に接着芯を貼る表台衿のつけ側のぬいしろをアイロンで折る

- 裏台衿（裏）
- 表台衿（裏）
- 1cm

⑥表台衿に上衿をのせてつけ止まりに合わせ仮止めする

- 上衿つけ止まり
- 仮止め
- 上衿つけ止まり
- 表台衿（表）　表上衿（表）

⑦裏台衿と中表に合わせてぬうつけのぬいしろは開いてよけてぬう

- 1cm
- 表台衿（裏）
- 1cm
- ぬい止める
- 裏台衿（表）　裏上衿（表）
- 折りを開く

⑧ぬいしろを0.5cmに切りそろえ、カーブに切り込みを入れる

- 0.5cm

⑨表に返しアイロンをかけ整える裏台衿のつけ側のぬいしろは表台衿より0.1cm出してアイロンで折り込む

- 裏上衿（表）
- 0.1cm
- 表台衿（表）
- 裏台衿のつけ側のぬいしろは折り込む

⑩身頃の衿ぐりと表台衿をぬい合わせ、全体に切り込みを入れる

- 1cm
- 表台衿（裏）
- 裏台衿（表）
- 表上衿（裏）
- （表）

⑪裏台衿をかぶせ仮止めまたはまち針でおさえ表台衿側から0.2cmのステッチそのまま台衿まわりをステッチ

- 表上衿（表）
- 裏台衿（表）
- 0.2cm
- 仮止め
- （裏）

7. ボタンホールをあけ、ボタンをつける

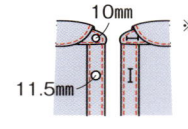

- 10mm
- 11.5mm

※男の子のシャツの場合は左側にホール、右側にボタンをつけます。
台衿のボタンは直径10mm、身頃のボタンは直径11.5mmをつける。
台衿のボタンホールは横穴、身頃のボタンホールは縦穴になるよう開ける。

o. ベスト
photo … p.18

○ 材料 ※身長80cm、90cm共通
- 表布 ………… 140cm幅×40cm
  （110cm幅も用尺は同じ）
- 裏布 ………… 110cm幅×40cm
- 接着芯 ……… 縦40cm×横30cm
- ボタン ……… 直径15mm　4個
  　　　　　　　直径18mm　2個

○ 実物大型紙 B面
- 後ろ身頃
- 前身頃
- 見返し
- ポケット
- タブ

○ 裁ち方図（単位cm　※ぬいしろは指定以外1cm　※110cm幅も並べ方は同じ）

※ ▨ は接着芯を貼る

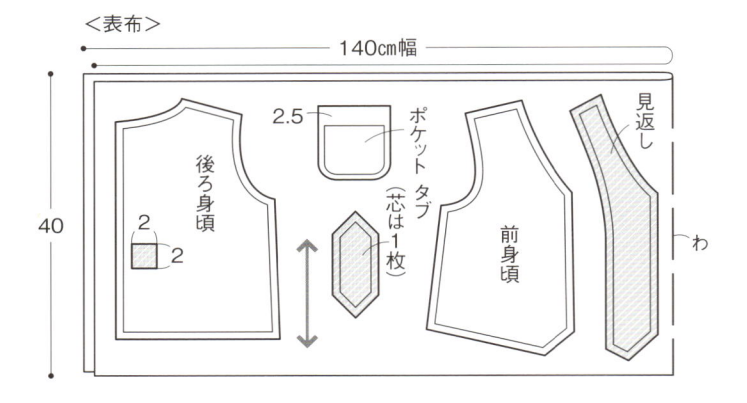

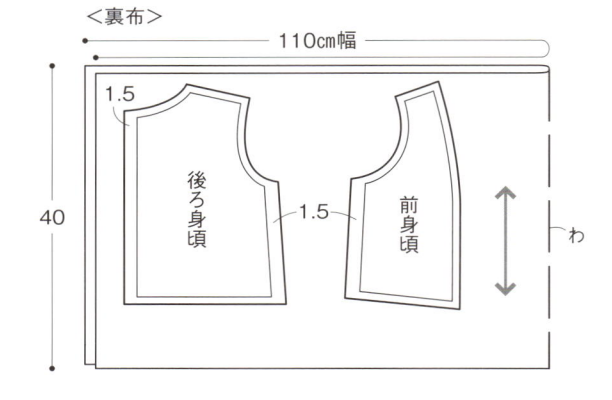

<表布> 140cm幅 / 40

後ろ身頃 / 前身頃 / ポケット / タブ（芯は1枚）/ 見返し / わ
2.5 / 2

<裏布> 110cm幅 / 40

後ろ身頃 / 前身頃 / わ
1.5 / 1.5

How to make

1. 表前身頃にポケットをつける

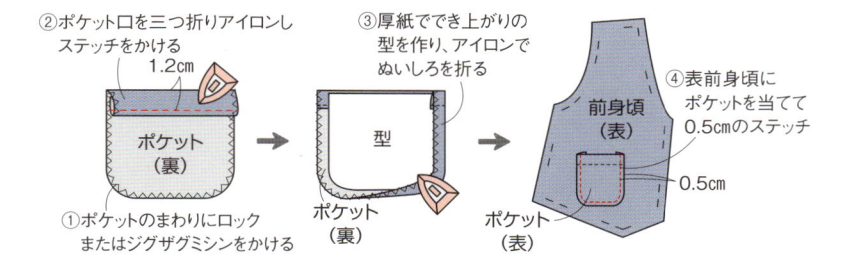

② ポケット口を三つ折りアイロンしステッチをかける　1.2cm
① ポケットのまわりにロックまたはジグザグミシンをかける
ポケット（裏）

③ 厚紙ででき上がりの型を作り、アイロンでぬいしろを折る
型 / ポケット（裏）

④ 表前身頃にポケットを当てて0.5cmのステッチ
前身頃（表）/ ポケット（表）/ 0.5cm

2. 表後ろ身頃の中心をぬい、表前身頃と合わせ、脇、肩をぬう

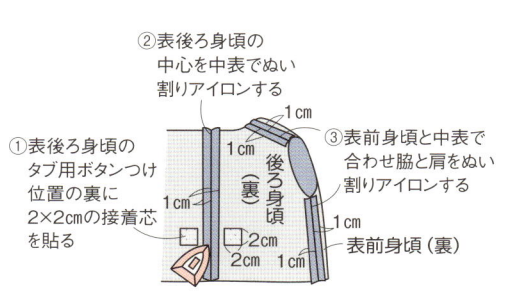

① 表後ろ身頃のタブ用ボタンつけ位置の裏に2×2cmの接着芯を貼る

② 表後ろ身頃の中心を中表でぬい割りアイロンする

③ 表前身頃と中表で合わせ脇と肩をぬい割りアイロンする

3. 裏身頃をぬう

① 見返しの裏側に接着芯を貼り、裏前身頃とぬい合わせぬいしろを裏前身頃側に倒す

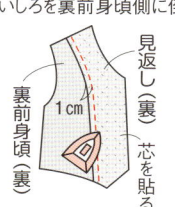

② 裏後ろ身頃の中心をぬい 0.5cmのきせ（ゆとり）を入れるため1.5cmの幅で左側に片倒しする 仮止め

③ 脇も同様にぬい0.5cmのきせをかけて後ろ側にアイロンで倒す きせがずれないように仮止めする

④ 肩をぬい合わせ後ろ側に倒す

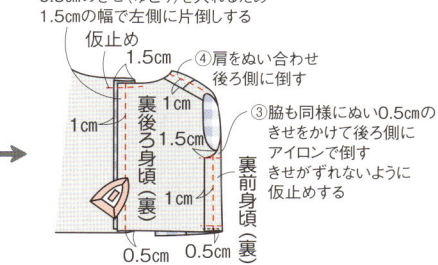

4. 表と裏をぬい合わせる

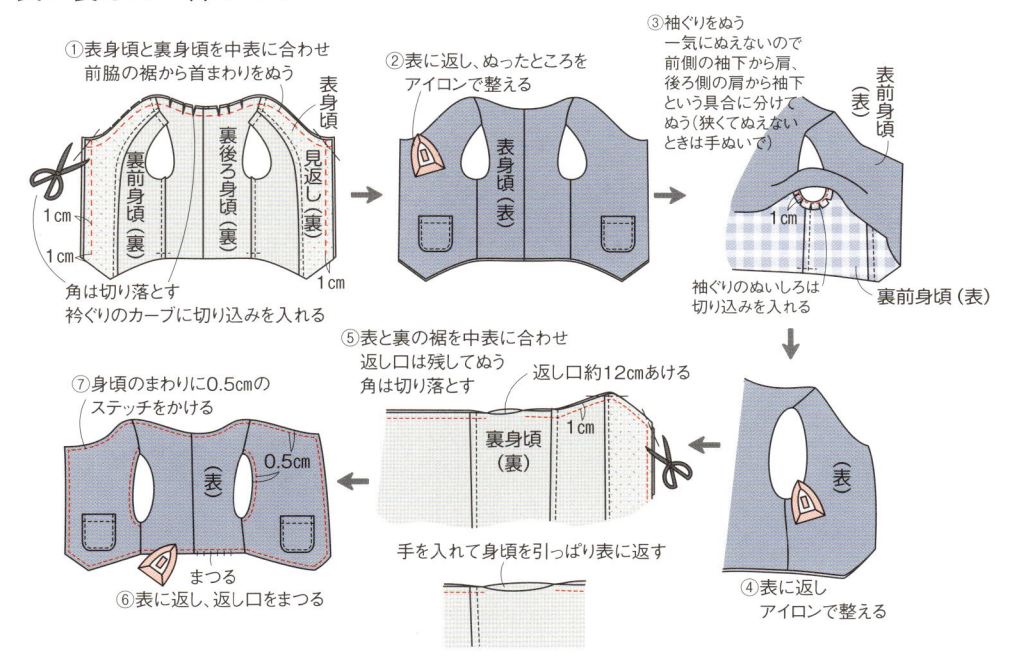

① 表身頃と裏身頃を中表に合わせ前脇の裾から首まわりをぬう
角は切り落とす
衿ぐりのカーブに切り込みを入れる

② 表に返し、ぬったところをアイロンで整える

③ 袖ぐりをぬう 一気にぬえないので前側の袖下から肩、後ろ側の肩から袖下という具合に分けてぬう（狭くてぬえないときは手ぬいで）
袖ぐりのぬいしろは切り込みを入れる

④ 表に返しアイロンで整える

⑤ 表と裏の裾を中表に合わせ返し口は残してぬう 角は切り落とす 返し口約12cmあける
手を入れて身頃を引っぱり表に返す

⑥ 表に返し、返し口をまつる

⑦ 身頃のまわりに0.5cmのステッチをかける

5. タブを作る

① タブの外側にくるほうに接着芯を貼る

② 中表に合わせ、返し口を残してぬい合わせる。角は切り落とす
4cm返し口

③ 表に返してアイロンで整え返し口は手でまつる

④ まわりに0.5cmのステッチをかける
まつる

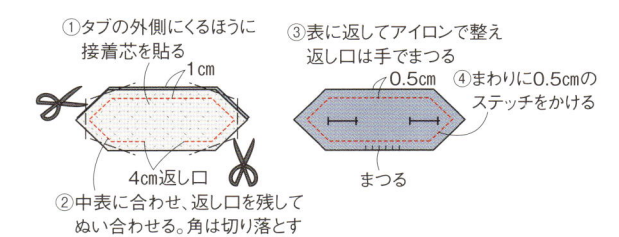

6. 身頃とタブにボタンホールをあけ、ボタンをつける

※タブは直径18mmのボタン
前端は直径15mmのボタンをつける。
※前開きは左側にホール、右側にボタンをつける。

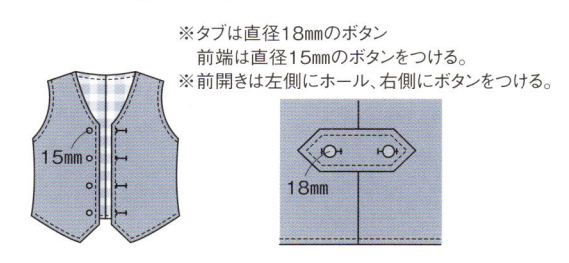

15mm
18mm

q. フードつきニットワンピ
photo … p.20

○ 材料 ※身長80cm、90cm共通
表布（ニット）‥ 180cm幅×75cm
　　　　　　　　（80、90cm共通）
リブ‥‥‥‥‥ 45cm幅×20cm
　　　　　　　　（80、90cm共通）
ひも‥‥‥‥‥ 95cm（100cm）
ニット用伸び止め接着テープ
　‥‥‥‥‥‥ 1.5cm幅　14cm
針と糸はニット専用のものを使う
接着芯‥‥‥‥ 3cm×3cm
　　　　　　　（ボタンホール部分に使用）

○ 実物大型紙 B 面
・後ろ身頃
・前身頃
・フード
・袖
・ポケット
・リブ

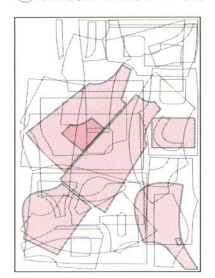

○ 裁ち方図（単位cm　※ぬいしろは指定以外1cm）

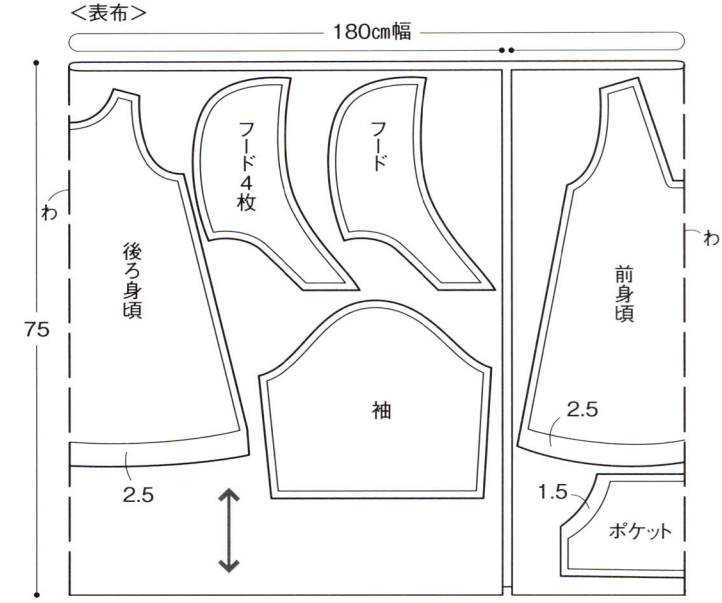

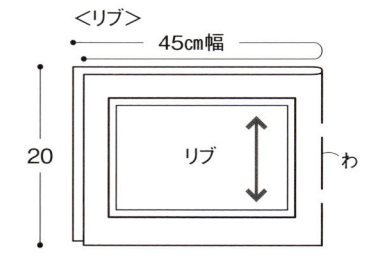

＜表布＞ 180cm幅 / 75 / 後ろ身頃 / フード4枚 / フード / 袖 / 前身頃 / ポケット / わ / 2.5 / 1.5 / 2.5

＜リブ＞ 45cm幅 / 20 / リブ / わ

How to make

1. ポケットを作り、前身頃につける
①ぬいしろにロックまたはジグザグミシンをかける
ポケット（裏）　0.2cm
②ポケット口をアイロンで1.5cm折り、ステッチ
③ポケット口以外のぬいしろをアイロンで折る
（裏）
④前身頃にぬいつける
0.2cm
0.2cm
前身頃（表）

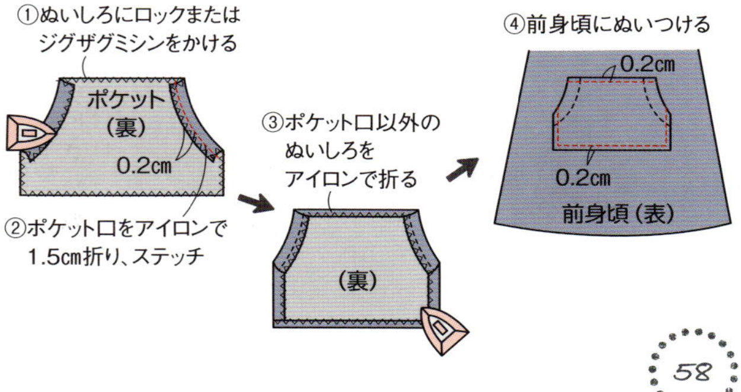

2. 肩をぬう
①事前に後ろ身頃の肩には伸び止めテープを貼っておく
②前身頃と後ろ身頃を中表に合わせて肩をぬう
③2枚一緒にロックまたはジグザグミシン　ぬいしろは後ろに倒す
後ろ身頃（裏）
前身頃（裏）

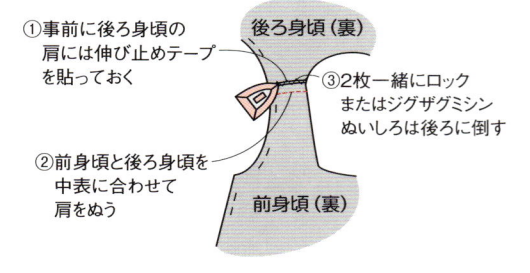

3. 袖をつける

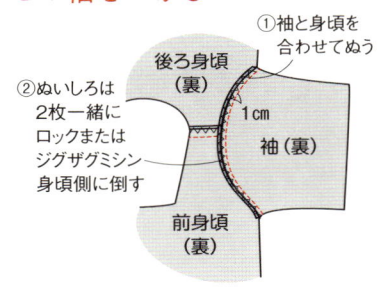

① 袖と身頃を合わせてぬう
② ぬいしろは2枚一緒にロックまたはジグザグミシン身頃側に倒す

後ろ身頃（裏）
袖（裏）
前身頃（裏）
1cm

4. 袖下と脇をぬう

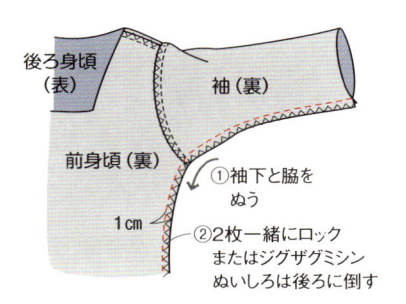

後ろ身頃（表）
袖（裏）
前身頃（裏）
① 袖下と脇をぬう
② 2枚一緒にロックまたはジグザグミシン ぬいしろは後ろに倒す
1cm

5. フードを作る

※事前にボタンホールの内側に接着芯を貼っておく

フード（裏）
1cm
0.5cm
① フード4枚のうち表になる2枚に1cmのボタンホールをあける
② 中表にはぎ合わせ ぬいしろは0.5cmに切りそろえる
※裏側になるフードも同様にはぎ合わせてぬいしろをカット

フード表（裏）
フード裏
1cm
③ フード表とフード裏を中表にはぎ合わせ ぬいしろは0.5cmにカット

④ フードを表に返しアイロンで整える
⑤ フードの天辺の位置端から1.5cmのところに表裏2枚合わせて2cmほどのステッチを入れる
ステッチ裏まで貫通
1cm
1.5cm
フード裏（表）
フード表（表）
0.5cm
粗ミシン
⑥ 衿ぐり部分の表裏を合わせ、0.5cmの位置に粗ミシンをかける

フード表（表）
フード裏（表）
⑦ フードの前の合わせを左が上にくるように仮止めしておく

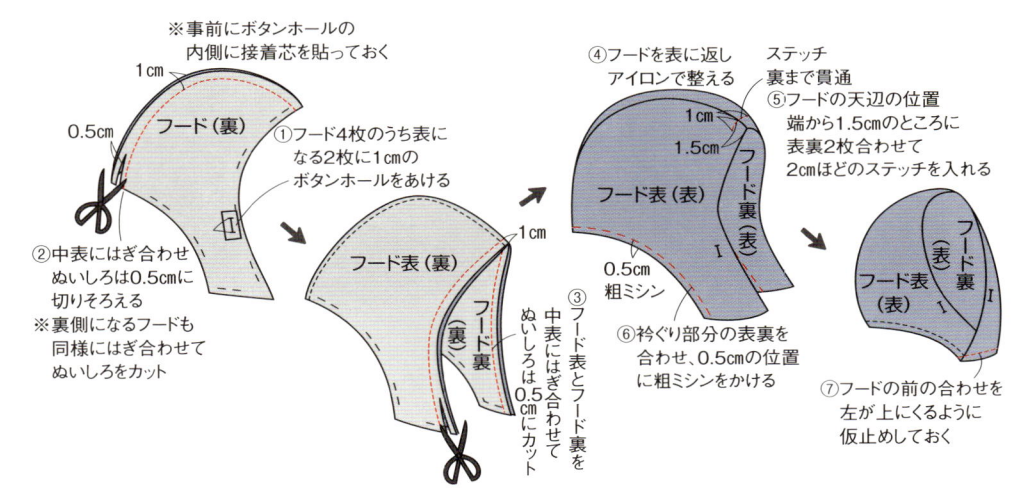

6. フードを身頃につける

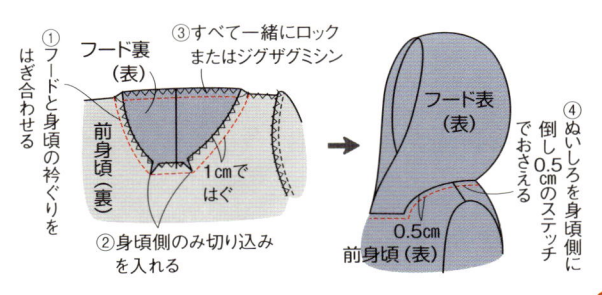

① フードと身頃の衿ぐりをはぎ合わせる
③ すべて一緒にロックまたはジグザグミシン
フード裏（表）
前身頃（裏）
1cmではぐ
② 身頃側のみ切り込みを入れる

フード表（表）
前身頃（表）
④ ぬいしろを身頃側に倒し0.5cmのステッチでおさえる
0.5cm

③ 半分に折り粗ミシンで止める
リブ（表）
0.5cm

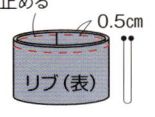

④ リブと袖口をぬい合わせる リブは袖口に合わせるように少し伸ばしながらぬう
リブ（表）
袖（裏）
1cm
⑤ すべてを一緒にロックまたはジグザグミシン

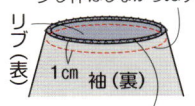

7. 袖口にリブをつける

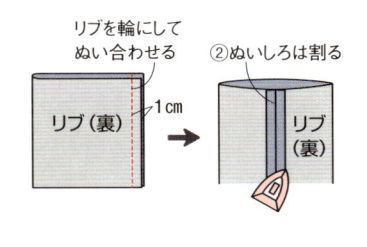

リブを輪にしてぬい合わせる
リブ（裏）
1cm
② ぬいしろは割る
リブ（裏）

8. 裾を上げる

① 裾にロックまたはジグザグミシンをかける
身頃（裏）
2.5cm　0.2cm
0.5cm
② 2本のステッチをかける
③ 2.5cmで折りアイロンでおさえる

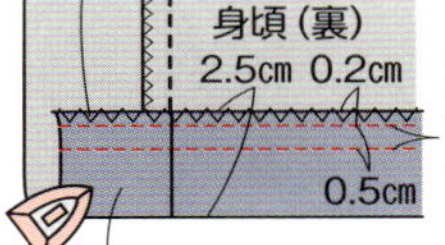

9. フードにひもを通す

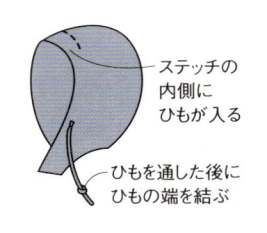

ステッチの内側にひもが入る
ひもを通した後にひもの端を結ぶ

r. サルエルパンツ

photo … p.21

○ 材料 ※身長90cm用は（ ）内

表布・・・・・・・・・ 135cm幅×70cm
　　　　　　　　（80、90cm共通）
　　　　　　　　（110cm幅も用尺は同じ）
※細身のシルエットのため、ストレッチが入ったものか、やわらかいコットンがおすすめ。
ゴム・・・・・・・・・ 15mm幅　42cm（44cm）

○ 実物大型紙 B面

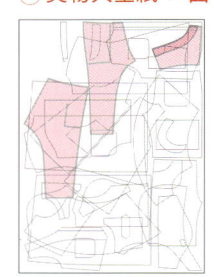

- 前パンツ
- 後ろパンツ
- ポケット
- ポケット口
※ベルトは製図

○ 裁ち方図（単位cm　※ぬいしろは指定以外1cm　※ベルトはぬいしろ込み）

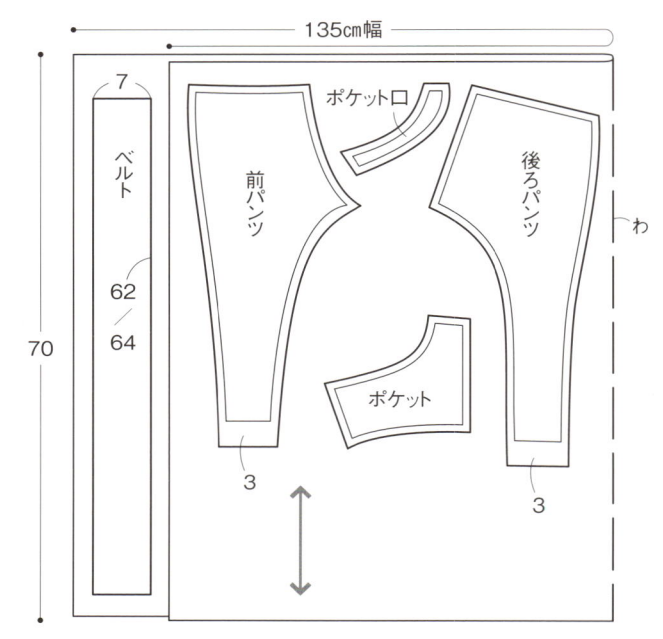

135cm幅 / 70

ベルト 7 × 62/64

前パンツ、後ろパンツ、ポケット口、ポケット（3）　わ

※110cm幅の場合は、ベルトの裁ち方は同じ、前パンツ、後ろパンツを横に並べて、ポケット、ポケット口を両パンツの下のあいているところに並べます。

How to make

1. 脇をぬう

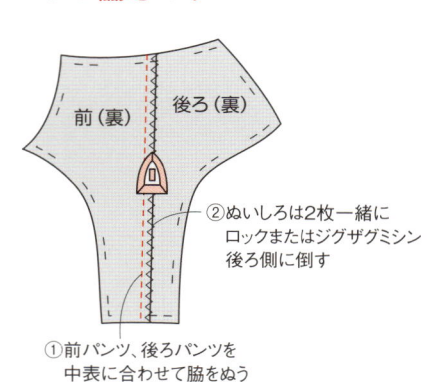

① 前パンツ、後ろパンツを中表に合わせて脇をぬう
② ぬいしろは2枚一緒にロックまたはジグザグミシン　後ろ側に倒す

2. ポケットを作る

① ポケットとポケット口を合わせてぬい合わせる (1cm)
② 一方のぬいしろをアイロンで折る
　1cmアイロンで折る
③ ぬいしろを0.5cmにカット
④ カーブに切り込みを入れる
⑤ ポケット口布を表に返してアイロンでおさえ、4本のステッチをかける (0.2cm)
⑥ ポケットのぬいしろにロックまたはジグザグミシンをかけアイロンで折る

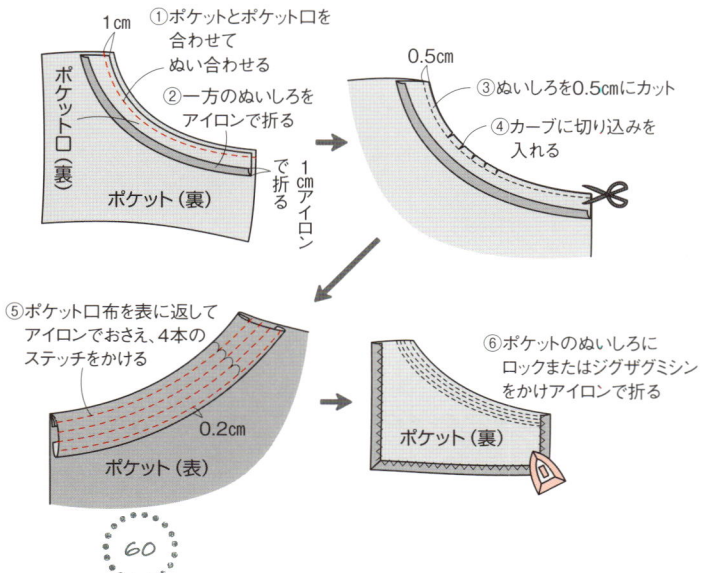

３．ポケットをパンツにつける

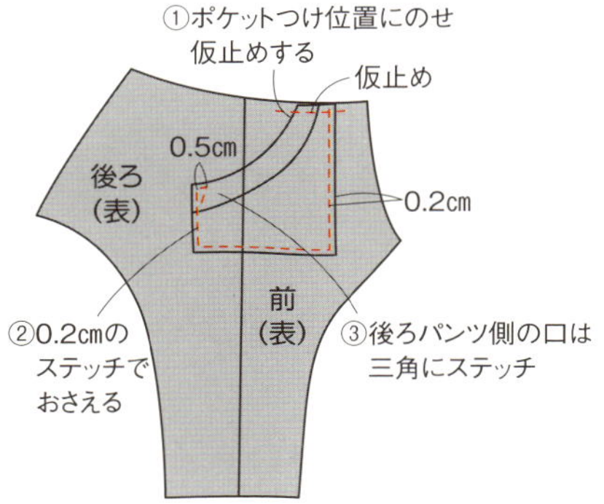

①ポケットつけ位置にのせ仮止めする
仮止め
0.5cm
後ろ（表）
0.2cm
前（表）
②0.2cmのステッチでおさえる
③後ろパンツ側の口は三角にステッチ

４．股下をぬう

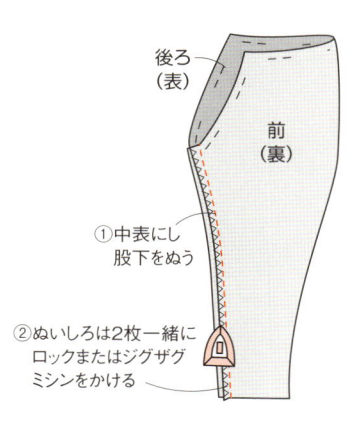

後ろ（表）
前（裏）
①中表にし股下をぬう
②ぬいしろは2枚一緒にロックまたはジグザグミシンをかける

５．股上をぬう

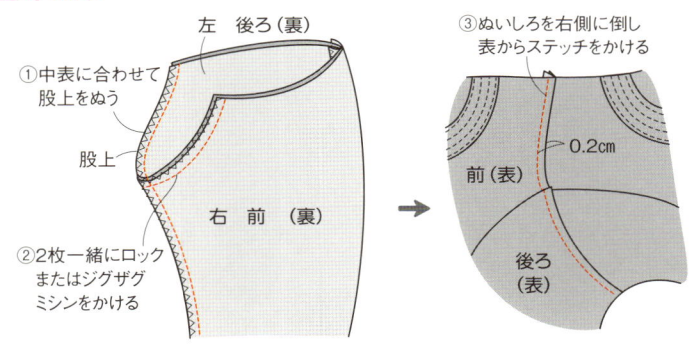

左　後ろ（裏）
①中表に合わせて股上をぬう
股上
右　前（裏）
②2枚一緒にロックまたはジグザグミシンをかける

③ぬいしろを右側に倒し表からステッチをかける
0.2cm
前（表）
後ろ（表）

６．ベルトをつけ、裾を上げる

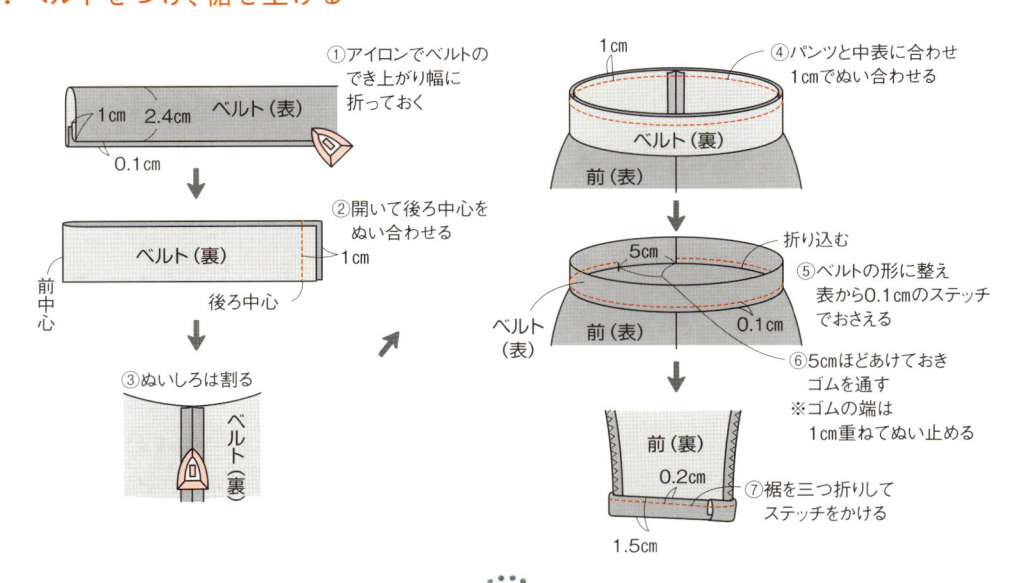

1cm　2.4cm　ベルト（表）
0.1cm
①アイロンでベルトのでき上がり幅に折っておく

ベルト（裏）
前中心
後ろ中心
1cm
②開いて後ろ中心をぬい合わせる

③ぬいしろは割る
ベルト（裏）

1cm
ベルト（裏）
前（表）
④パンツと中表に合わせ1cmでぬい合わせる

5cm
折り込む
ベルト（表）
前（表）
0.1cm
⑤ベルトの形に整え表から0.1cmのステッチでおさえる
⑥5cmほどあけておきゴムを通す
※ゴムの端は1cm重ねてぬい止める

前（裏）
0.2cm
1.5cm
⑦裾を三つ折りしてステッチをかける

m. タッセルつきストール

photo … p.16

○ 材料 ※身長80cm、90cm共通

布‥‥‥‥‥ 175cm幅×50cm
刺しゅう糸‥‥‥ 8束(1束6本撚り、8m)

○ 裁ち方図(単位cm)

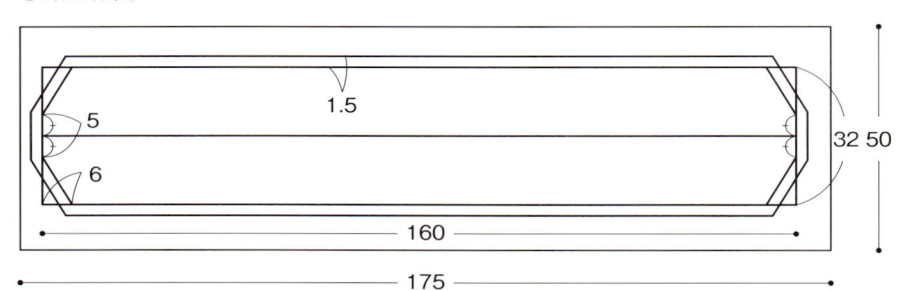

How to make

1. まわりを三つ折りしてアイロンをかける
2. 0.7cmの位置にステッチをかける
3. タッセルをつける

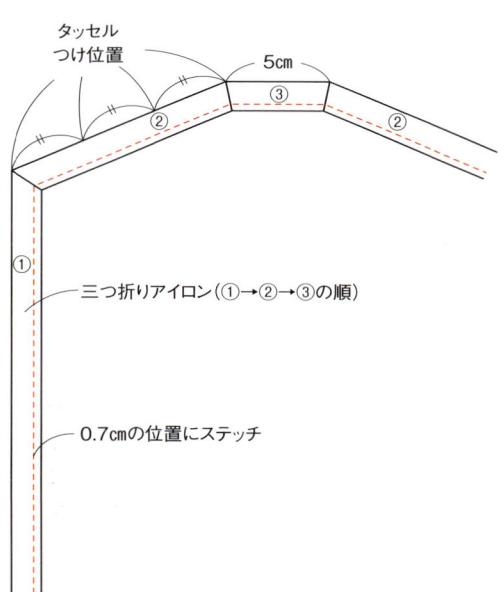

[タッセルの作り方]

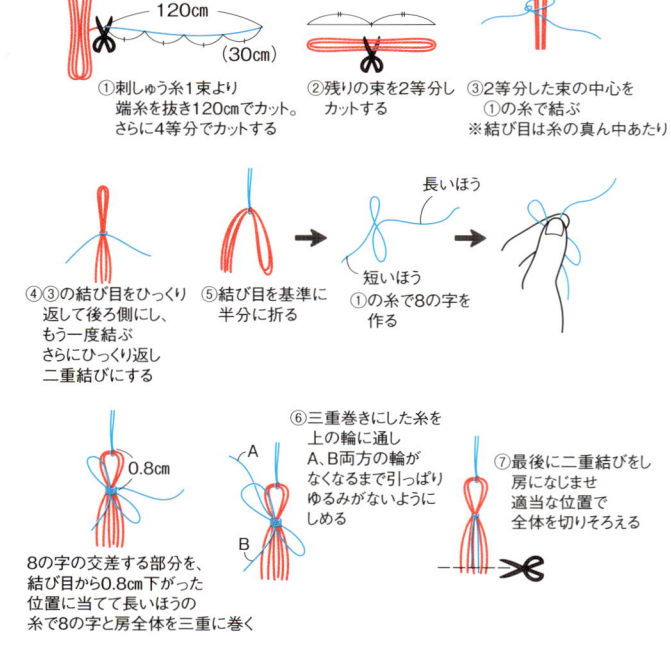

① 刺しゅう糸1束より端糸を抜き120cmでカット。さらに4等分でカットする
② 残りの束を2等分にカットする
③ 2等分した束の中心を①の糸で結ぶ ※結び目は糸の真ん中あたり
④ ③の結び目をひっくり返して後ろ側にし、もう一度結ぶ さらにひっくり返し二重結びにする
⑤ 結び目を基準に半分に折る
①の糸で8の字を作る
⑥ 三重巻きにした糸を上の輪に通しA、B両方の輪がなくなるまで引っぱりゆるみがないようにしめる
8の字の交差する部分を、結び目から0.8cm下がった位置に当てて長いほうの糸で8の字と房全体を三重に巻く
⑦ 最後に二重結びをし房になじませ適当な位置で全体を切りそろえる

p. ピアネスタイ
photo … p.19

○ 材料 ※身長80cm、90cm共通
- 表布 ……… 縦25cm×横50cm
- 接着芯 ……… 縦15cm×横25cm
- エイトカン …… 13mm 1個
- ゼットカン …… 13mm 1個

○ 裁ち方図（単位cm ※ぬいしろはすべて込み
※布が多めにある場合はひもを縦地にとってもOKです）

※ ▨ は接着芯を貼る

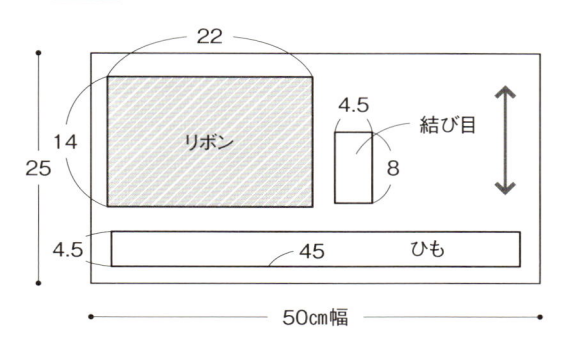

- リボン：22×14（25）
- 結び目：4.5×8
- ひも：45×4.5
- 50cm幅

How to make

1. リボンを作る

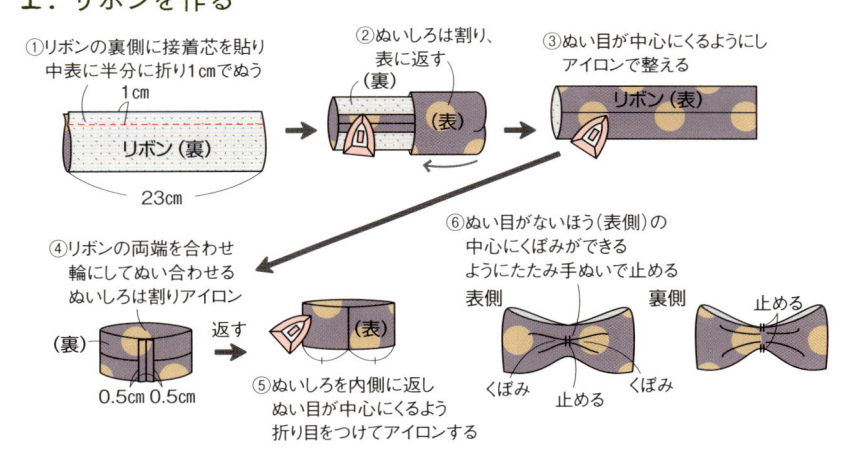

① リボンの裏側に接着芯を貼り 中表に半分に折り1cmでぬう
1cm / 23cm / リボン（裏）

② ぬいしろは割り、表に返す
（裏）

③ ぬい目が中心にくるようにしアイロンで整える
リボン（表）

④ リボンの両端を合わせ輪にしてぬい合わせる ぬいしろは割りアイロン
（裏） 0.5cm 0.5cm 返す

⑤ ぬいしろを内側に返しぬい目が中心にくるよう折り目をつけてアイロンする

⑥ ぬい目がないほう（表側）の中心にくぼみができるようにたたみ手ぬいで止める
表側 くぼみ 止める 裏側 くぼみ 止める

2. ひもを作る

① でき上がり幅が1.2cmになるよう ひも布を四つ折りしステッチをかける
1.2cm ひも（表）内側 0.2cm 0.6cm

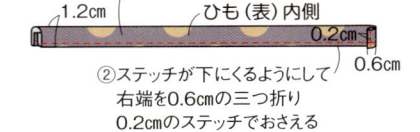

② ステッチが下にくるようにして右端を0.6cmの三つ折り 0.2cmのステッチでおさえる

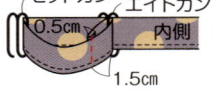

ゼットカン エイトカン
0.5cm 内側 1.5cm

③ ひもにエイトカンを通し次にゼットカンを通した後エイトカンに右から左に通してステッチでおさえる

3. リボンとひもをぬい合わせる

① 結び目を作る
（表） 1.2cm 8cm

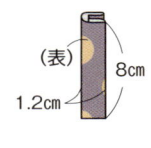

1.2cm幅になるよう輪にしてループ返しなどでひっくり返す ループ返しがない場合は四つ折りしてステッチでおさえてもOK

＜リボン内側＞
止める 8cm

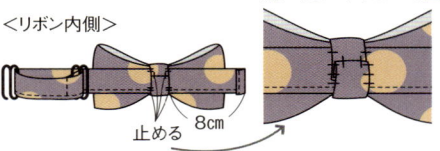

結び目はリボンの中心に当てひもを内側にのせ一緒にくるんで手ぬいで固定する

朝井牧子　あさいまきこ

文化服装学院アパレルデザイン科を卒業後、サンプル縫製会社にてメーカーやコレクションラインのアイテムを中心に制作。その後アパレルメーカーでデザイナーを経て出産を期に退社。現在はネットショップ『enanna』にてハンドメイドの子供服を制作しています。

[この本でご協力いただいた会社]

生地提供

fabric bird
中商事株式会社
〒760-8558　香川県高松市福岡町 2-24-1
TEL 087-821-1218　FAX 087-821-1444
http://www.rakuten.ne.jp/gold/fabricbird/

株式会社スワニー
オンラインショップ
〒248-0007　神奈川県鎌倉市大町 1-1-11
TEL 0467-23-9306　FAX 0467-73-8734
http://www.swany.jp

株式会社サンヒット
〒340-0834　埼玉県八潮市大曽根 693-1
TEL 048-997-3031　FAX 048-997-3045
http://sunhit.com/

撮　影	下村しのぶ
スタイリング	石井佳苗
ヘアメイク	梅沢優子
モデル	アンナ モズジェチコフ（株式会社ジュネス）
トレース	ファクトリー・ウォーター（松尾容巳子）
本文・カバーデザイン	ME&MIRACO（石田百合絵）
校　閲	校正舎楷の木
編　集	クリエイト ONO（大野雅代）
進　行	鏑木香緒里

ハンドメイドベビー服 enanna（エナンナ）の 80～90センチサイズのかわいいお洋服

2012年 4月25日 初版第 1 刷発行
2020年 12月25日 初版第 11 刷発行

著　者	朝井牧子
発行者	廣瀬和二
発行所	株式会社日東書院本社

〒160-0022 東京都新宿区新宿 2 丁目 15 番 14 号 辰巳ビル
TEL 03-5360-7522（代表）　FAX 03-5360-8951（販売部）
振替　00180-0-705733　URL　http://www.TG-NET.co.jp

印刷・製本　大日本印刷株式会社

本書の無断複写複製（コピー）は、著作権上での例外を除き、著作者、出版社の権利侵害となります。
乱丁・落丁はお取り替えいたします。小社販売部までご連絡ください。

©Makiko Asai2012,Printed in Japan　ISBN 978-4-528-01298-1　C2077

[読者の皆様へ]

本書の内容に関するお問い合わせは、お手紙、FAX（03-5360-8047）、メール（info@TG-NET.co.jp）にて承ります。恐縮ですが、電話でのお問い合わせはご遠慮ください。『ハンドメイドベビー服enanna（エナンナ）の80～90センチサイズのかわいいお洋服』 編集部

※本書の作品を複製して販売しないでください。